#홈스쿨링
#혼자공부하기

똑똑한
하루 과학

Chunjae
Makes
Chunjae

▼

똑똑한 하루 과학 6-2

편집개발	조진형, 구영희, 김현주, 김성원
디자인총괄	김희정
표지디자인	윤순미, 박민정
내지디자인	박희춘, 우혜림
제작	황성진, 조규영

발행일	2021년 6월 1일 초판 2021년 6월 1일 1쇄
발행인	(주)천재교육
주소	서울시 금천구 가산로9길 54
신고번호	제2001-000018호
고객센터	1577-0902

똑 똑 한

하루
과학

6-2

똑똑한 하루 과학

어떤 책인지 알면 공부가 더 재미있어.

똑똑한 하루 과학 구성과 특징

핵심 용어

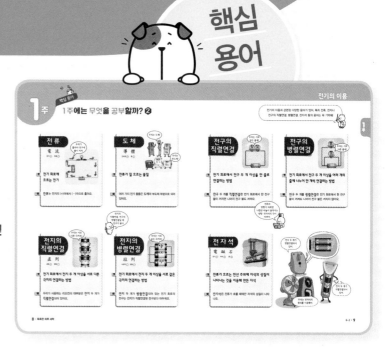

- 핵심 용어만 쏙!
- 한자와 예문으로 이해 쏙쏙!
- 그림으로 기억력 UP!

1일~4일 학습

실험 동영상

빠른 정답 보기

① 개념 만화

② 개념 익히기

실험 동영상

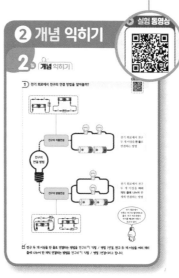

③ 개념 확인하기

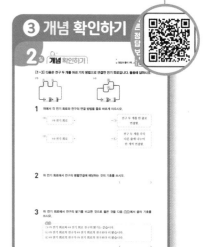

- '① 개념 만화 → ② 개념 익히기 → ③ 개념 확인하기' 3단계로 하루 학습
- 하루 6쪽, 4주면 한 학기 공부 끝!

5일
마무리
학습

① 핵심 개념

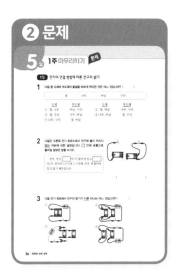

② 문제

· '① 핵심 개념 → ② 문제' 2단계로 하루 학습

특강

누구나 100점 TEST

생활 속 과학 / 사고 쑥쑥 / 논리 탄탄

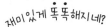

· 한 주에 배운 내용을 확인하는 누구나 100점 맞는 TEST
· 재미있고 새로운 유형의 특강으로 창의력, 사고력, 논리력 UP!

재미있게 똑똑해지네?

하루하루
조금씩 기초부터 쌓다 보면 어느새 자신감이 생겨.

똑똑한 하루 과학 차례

연소와 소화 / 에너지와 생활

우리 몸의 구조와 기능

똑똑한 하루 과학을 함께할 친구들

장고

우주 괴물을 쫓아
지구로 온 우주 탐정

우수

신중하고 꼼꼼한
6학년 남학생

은하

운동을 좋아하고
밝은 6학년 여학생

엘런

귀엽게 생긴
반려 우주 동물

전기의 이용

1주에는 무엇을 공부할까? ❶

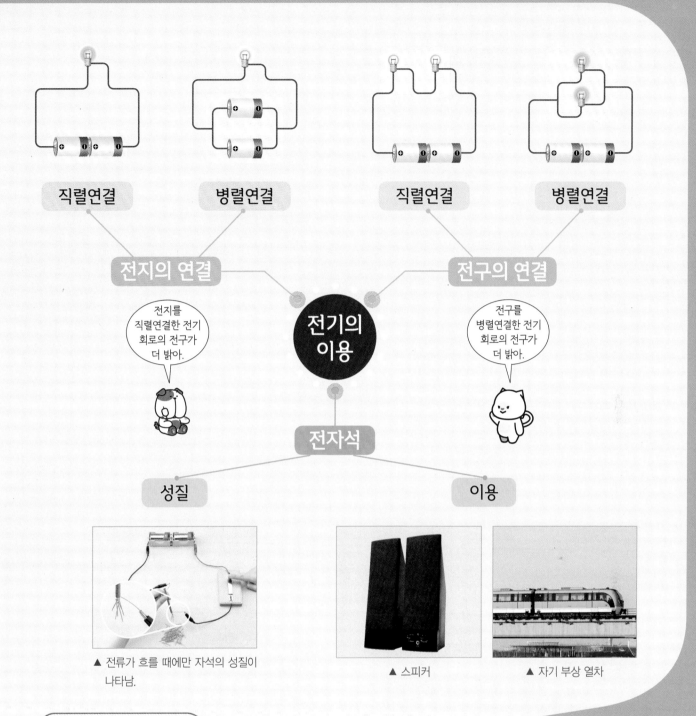

직렬연결 병렬연결 직렬연결 병렬연결

전지의 연결 전구의 연결

전기의 이용

전지를 직렬연결한 전기 회로의 전구가 더 밝아.

전구를 병렬연결한 전기 회로의 전구가 더 밝아.

전자석

성질 이용

▲ 전류가 흐를 때에만 자석의 성질이 나타남.

▲ 스피커 ▲ 자기 부상 열차

전기 회로, 전지의 연결과 전구의 연결, 전류가 흐르는 전선 주위에서 나타나는 성질, 전자석의 이용 등을 기억해.

핵심 용어

1주에는 무엇을 공부할까? ❷

전 류

電 流

전기 전 흐를 류

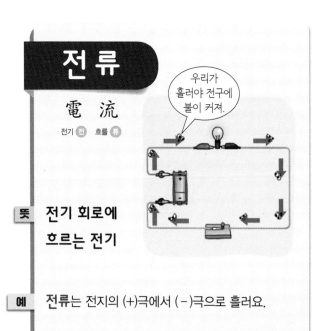

우리가 흘러야 전구에 불이 켜져.

뜻 전기 회로에 흐르는 전기

예 전류는 전지의 (+)극에서 (-)극으로 흘러요.

도 체

導 體

인도할 도 몸 체

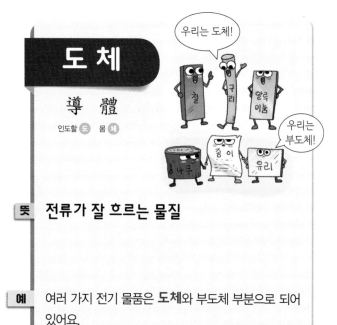

우리는 도체!

철 구리 알루미늄

우리는 부도체!

나무 종이 유리

뜻 전류가 잘 흐르는 물질

예 여러 가지 전기 물품은 **도체**와 부도체 부분으로 되어 있어요.

전지의 직렬연결, 전구의 병렬연결일 때 전구가 밝아.

전지의 직렬연결

直 列

곧을 직 벌일 렬

우리는 서로 다른 극끼리!

뜻 전기 회로에서 전지 두 개 이상을 서로 다른 극끼리 연결하는 방법

예 우리가 사용하는 리모컨의 대부분은 **전지** 두 개가 **직렬연결**되어 있어요.

전지의 병렬연결

竝 列

나란히 병 벌일 렬

우리는 서로 같은 극끼리!

뜻 전기 회로에서 전지 두 개 이상을 서로 같은 극끼리 연결하는 방법

예 **전지** 두 개가 **병렬연결**되어 있는 전기 회로의 전구는 전지가 직렬연결된 전구보다 어두워요.

전기의 이용과 관련된 다양한 용어가 있어. 특히 전류, 전지나 전구의 직렬연결, 병렬연결, 전자석 등의 용어는 꼭 기억해!

1주

전구의 직렬연결

우리는 서로 같은 줄에!

뜻 전기 회로에서 전구 두 개 이상을 한 줄로 연결하는 방법

예 전구 두 개를 **직렬연결**한 전기 회로에서 한 전구 불이 꺼지면 나머지 전구 불도 꺼져요.

전구의 병렬연결

우리는 서로 다른 줄에!

뜻 전기 회로에서 전구 두 개 이상을 여러 개의 줄에 나누어 한 개씩 연결하는 방법

예 전구 두 개를 **병렬연결**한 전기 회로에서 한 전구 불이 꺼져도 나머지 전구 불은 꺼지지 않아요.

전류의 방향이 바뀌면 나침반 바늘이 움직이는 방향, 전자석의 극이 바뀌어.

전 자 석

電 磁 石
전기 전 자석 자 돌 석

뜻 전류가 흐르는 전선 주위에 자석의 성질이 나타나는 것을 이용해 만든 자석

예 **전자석**은 전류가 흐를 때에만 자석의 성질이 나타나요.

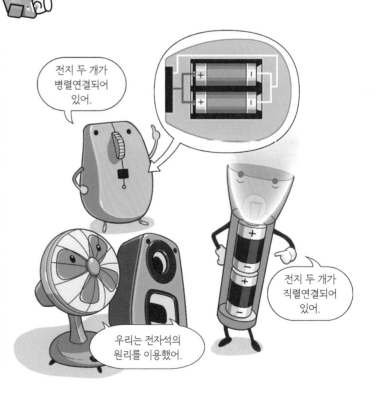

전지 두 개가 병렬연결되어 있어.

전지 두 개가 직렬연결되어 있어.

우리는 전자석의 원리를 이용했어.

1일 전지의 연결 방법에 따른 전구의 밝기

 냉장고와 결합한 장고

🐻 용어 체크

전류

전기 회로에 흐르는 전기

예 집게 달린 전선은 **①** [   ] 가 흐르는 통로이다.

도체

전류가 잘 흐르는 물질

부도체

전류가 잘 흐르지 않는 물질

예 **②** [   ] 에는 철, 구리 등이 있고, **③** [   ] 에는 종이, 유리, 나무 등이 있다.

정답 ① 전류 ② 도체 ③ 부도체

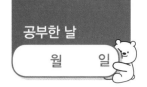
만화로 재미있게 **개념** 쏙쏙! **용어** 쏙쏙!

결합을 풀기 위한 전지의 연결 방법은?

용어 체크

전지의 직렬연결

전기 회로에서 전지 두 개 이상을 서로 다른 극끼리 연결하는 방법

예 손전등을 열었더니 전지 두 개가 서로 다른 극끼리 ①[ ]로 연결되어 있다.

전지의 병렬연결

전기 회로에서 전지 두 개 이상을 서로 같은 극끼리 연결하는 방법

예 마우스를 열었더니 전지 두 개가 서로 같은 극끼리 ②[ ]로 연결되어 있다.

정답 ❶ 직렬 ❷ 병렬

1 전구에 불이 켜지게 하려면 어떻게 해야 할까?

◉ 전기 회로

전류는 전기 회로에 흐르는 전기로, 전지의 (+)극에서 (−)극으로 흐름.

전기 회로는 전지, 전선, 전구 등 전기 부품을 서로 연결해 전기가 흐르도록 한 것

전류의 흐름 →

스위치를 닫았을 때

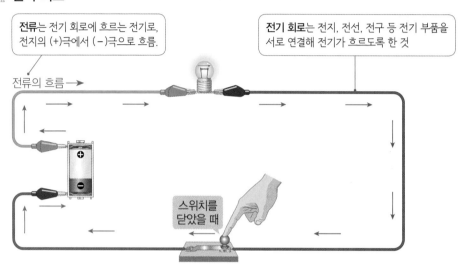

◉ 도체와 부도체

전류가 잘 흐르는 물질을 **도체**라고 해. 철, 구리, 알루미늄, 흑연 등이 있어.

전류가 잘 흐르지 않는 물질을 **부도체**라고 해. 종이, 유리, 비닐, 나무 등이 있어.

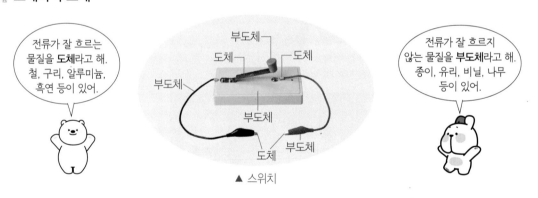

부도체

도체   도체

부도체

부도체

도체 부도체

▲ 스위치

전구에 불이 켜지는 조건

• 전기 부품의 도체끼리 연결함.
• **전지, 전선, 전구가 끊기지 않게 연결**함.
• 전구는 전지의 (+)극과 전지의 (−)극에 각각 연결함.

☑ 전기 회로에서 전구에 불이 켜지려면 전기 부품의 ❶(도체 / 부도체)끼리 연결하고, 전구는 ❷(전선 / 전지)의 (+)극과 (−)극에 각각 연결합니다.

전지의 연결 방법에 따른 전구의 밝기

2 전지의 연결 방법에 따라 전구의 밝기는 어떻게 달라질까?

▶ 실험 동영상

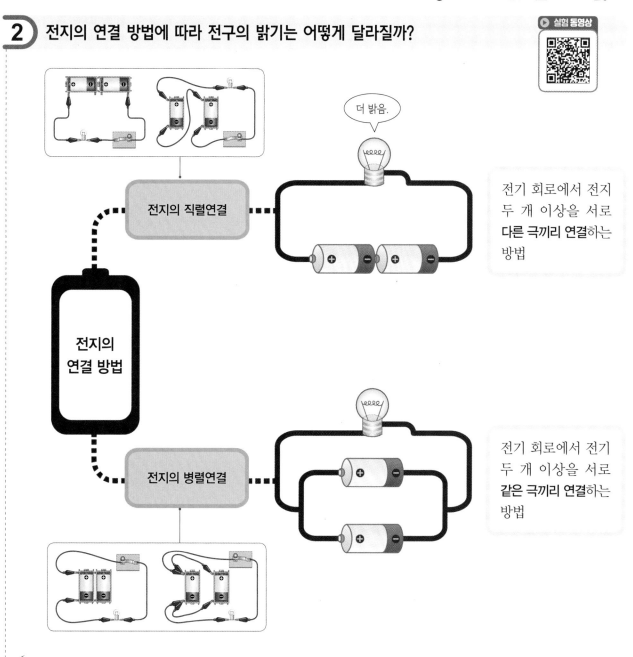

더 밝음.

전기 회로에서 전지 두 개 이상을 서로 **다른 극끼리 연결**하는 방법

전기 회로에서 전지 두 개 이상을 서로 **같은 극끼리 연결**하는 방법

☑ 전지 두 개를 직렬연결한 전구가 전지 두 개를 병렬연결한 전구보다 더③(밝 / 어둡)습니다.

정답 ❶ 도체 ❷ 전지 ❸ 밝

개념 체크

◇ 정답과 풀이 1쪽

1 전기 회로에 흐르는 전기를 ☐☐(이)라고 합니다.

2 철, 구리, 알루미늄 등의 전류가 잘 흐르는 물질을 ☐☐(이)라고 합니다.

3 전기 회로에서 전지 두 개 이상을 서로 ☐☐ 극끼리 연결하는 방법을 전지의 병렬연결이라고 합니다.

보기
- 전선
- 전류
- 도체
- 금속
- 다른
- 같은

1 다음은 전기 부품에 대한 내용입니다. ☐ 안에 들어갈 알맞은 말을 쓰시오.

> 전지, 전선, 전구 등 전기 부품을 서로 연결해 전기가 흐르도록 한 것을 ☐ (이)라고 합니다.

(   )

2 다음 중 전류에 대해 <u>잘못</u> 설명한 친구의 이름을 쓰시오.

> 서우 : 전기 회로에 흐르는 전기를 말해.
> 수빈 : 전지의 (+)극에서 (−)극으로 흘러.
> 예담 : 전기가 흐르면 빛을 내는 전기 부품을 말해.

(   )

3 오른쪽 스위치의 부분 중 전류가 잘 흐르는 물질로 이루어진 부분은 어느 것입니까? (   )

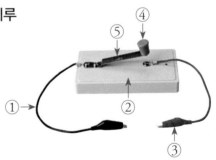

4 다음 중 오른쪽 전기 회로에서 전구에 불이 켜지는 조건으로 옳은 것을 두 가지 고르시오.

(,   )

① 전구와 전선만 서로 연결한다.
② 전구 부품의 부도체끼리 연결한다.
③ 전기 회로의 스위치를 닫지 않는다.
④ 전지, 전선, 전구가 끊기지 않게 연결한다.
⑤ 전구는 전지의 (+)극과 (−)극에 각각 연결한다.

5 다음 전기 회로에서 전지의 연결 방법을 줄로 바르게 이으시오.

(1)
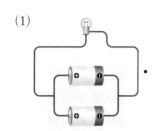

・㉠   전지의 직렬연결

(2)
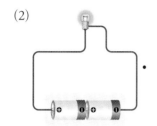

・㉡   전지의 병렬연결

6 위 **5**번의 (1)과 (2) 전기 회로 중에서 전구의 밝기가 더 밝은 것의 번호를 쓰시오.

(   )

7 다음 □ 안에 들어갈 알맞은 낱말을 말 상자에서 찾아 모두 ○표를 하세요. 말 상자의 낱말은 가로, 세로, 대각선에 숨어 있어요.

전	류	★	부
유	★	도	구
리	체	★	리
직	렬	연	결

❶ 전기 회로에서 □□는 전지의 (+)극에서 (−)극으로 흐름.

❷ 도체에는 철, □□, 알루미늄, 흑연 등이 있음.

❸ 전류가 잘 흐르지 않는 물질을 □□□라고 함.

❹ 전지 두 개를 □□□□한 전기 회로의 전구가 전지 두 개를 병렬연결한 전기 회로의 전구보다 더 밝음.

2일 전구의 연결 방법에 따른 전구의 밝기

🐰 엘런을 추적 중인 장고

뭐, 할 수 없지. 이렇게 된 거 내 임무에 집중할 수밖에.

정신 회복이 빠르네.

난 지구로 탈출한 위험한 우주 괴물 엘런을 추적 중이야.

우선 엘런을 잡을 포획 틀을 만들어야 해. 에너지는 여기서 주운 전지를 활용하자.

이번엔 실수하지 말고 전구를 직렬연결하도록!

이번엔 제가 할게요.

📍 전구의 직렬연결은 전구 두 개 이상을 한 줄로 연결하는 방법이야.

어째서 불이 안 켜지는 거야. 혹시 나 망가진 거냐?

여긴 폐가전 처리장이거든요. 다 닳은 전지라서 그런 거 아닐까요?

🐻 **용어 체크**

📍 **전구의 직렬연결**

전기 회로에서 전구 두 개 이상을 한 줄로 연결하는 방법

예 전구의 [①　　　　] 연결에서는 한 전구의 불이 꺼지면 나머지 전구 불도 꺼진다.

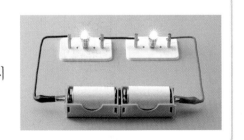

정답 ① 직렬

만화로 재미있게 **개념** 쏙쏙! **용어** 쏙쏙!

1주

 어설픈 탐정, 장고

지구인들의 솜씨는 아직 서툴러. 차라리 내가 손보는 게 낫지.

근처 편의점에서 사온 새 전지예요.

그럼 우리에게 시키지를 말던가.

그런데 꼭 전구를 직렬연결하는 이유가 뭐예요? 전구를 병렬연결하면 안 돼요?

후후. ♀ **전구의 병렬연결**은 전구 두 개 이상을 여러 개의 줄에 나누어 한 개씩 연결하는 방법이지.

전구를 병렬연결하면 전구의 밝기가 전구를 직렬연결할 때보다 밝아.

게다가 한쪽 전구의 불이 꺼져도 다른 쪽 전구의 불은 꺼지지 않아.

어? 그럼 포획 틀에는 직렬연결보다 병렬연결이 더 효과적이지 않아요?

설명서

정말 우주 탐정 맞아?

주의! 신형 모델은 구형과 달리 전구를 병렬로 연결해 주세요.

어설퍼.

🐻 **용어 체크**

♀ **전구의 병렬연결**

전기 회로에서 전구 두 개 이상을 여러 개의 줄에 나누어 한 개씩 연결하는 방법

예 전구의 [❶   ] 연결에서는 한 전구의 불이 꺼져도 나머지 전구의 불은 꺼지지 않는다.

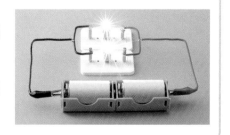

정답 ❶ 병렬

실험 동영상

1 전기 회로에서 전구의 연결 방법을 알아볼까?

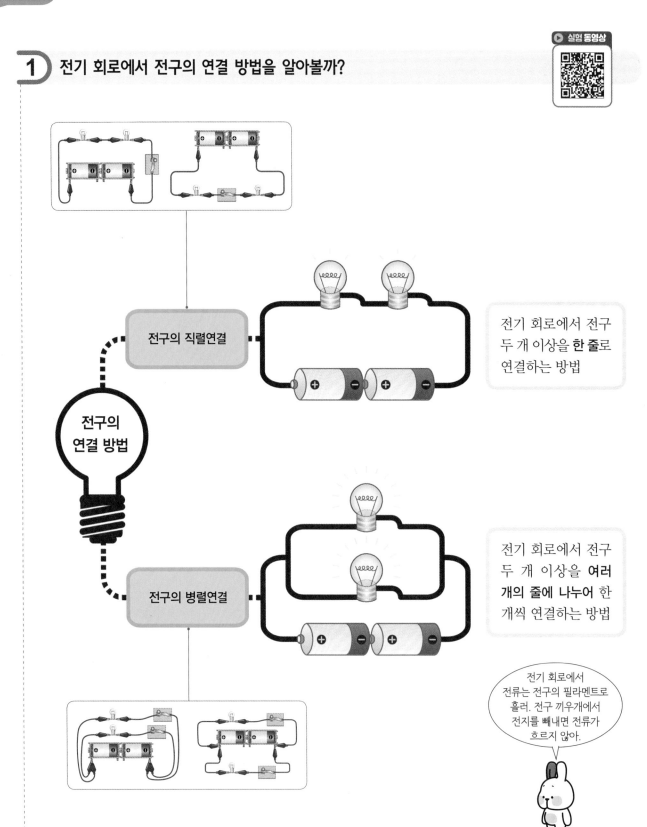

전구의 직렬연결

전기 회로에서 전구 두 개 이상을 **한 줄로** 연결하는 방법

전구의 연결 방법

전구의 병렬연결

전기 회로에서 전구 두 개 이상을 **여러 개의 줄에 나누어** 한 개씩 연결하는 방법

전기 회로에서 전류는 전구의 필라멘트로 흘러. 전구 끼우개에서 전지를 빼내면 전류가 흐르지 않아.

✔ 전구 두 개 이상을 한 줄로 연결하는 방법을 전구의 ❶(직렬 / 병렬)연결, 전구 두 개 이상을 여러 개의 줄에 나누어 한 개씩 연결하는 방법을 전구의 ❷(직렬 / 병렬)연결이라고 합니다.

전구의 연결 방법에 따른 전구의 밝기

2 전구의 연결 방법에 따라 전구의 밝기는 어떻게 달라질까?

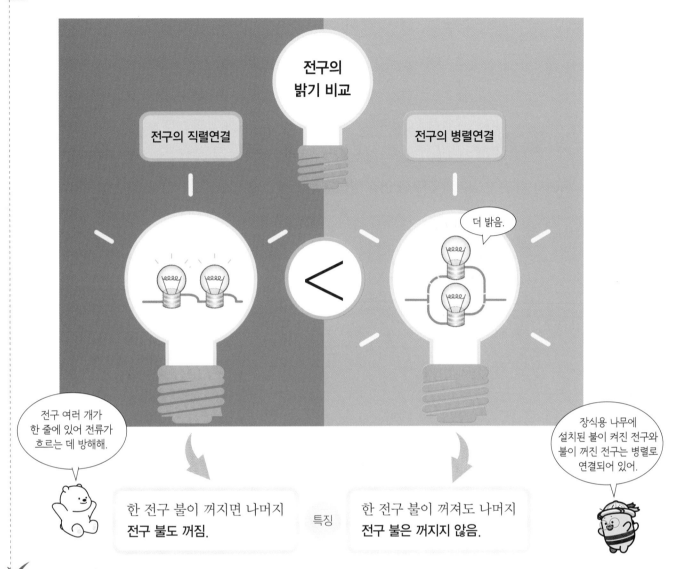

전구 여러 개가 한 줄에 있어 전류가 흐르는 데 방해해.

한 전구 불이 꺼지면 나머지 전구 불도 꺼짐.

특징

한 전구 불이 꺼져도 나머지 전구 불은 꺼지지 않음.

장식용 나무에 설치된 불이 켜진 전구와 불이 꺼진 전구는 병렬로 연결되어 있어.

☑ 전구 두 개를 ❸(직렬 / 병렬)연결한 전기 회로의 전구가 전구 두 개를 ❹(직렬 / 병렬)연결한 전기 회로의 전구보다 더 밝습니다.

정답 ❶ 직렬 ❷ 병렬 ❸ 병렬 ❹ 직렬

개념 체크

◦ 정답과 풀이 1쪽

1 전구의 직렬연결은 전기 회로에서 전구 두 개 이상을 ☐ 줄로 연결하는 방법입니다.

2 ☐☐ 두 개를 병렬로 연결할 때가 직렬로 연결할 때보다 전구가 더 밝습니다.

3 전구 두 개를 ☐☐ 연결한 전기 회로에서는 한 전구 불이 꺼져도 나머지 전구 불은 꺼지지 않습니다.

보기
• 한   • 두
• 전지   • 전구
• 직렬   • 병렬

[1~3] 다음은 전구 두 개를 여러 가지 방법으로 연결한 전기 회로입니다. 물음에 답하시오.

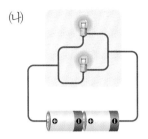

1 위에서 각 전기 회로와 전구의 연결 방법을 줄로 바르게 이으시오.

(1) ㈎ 전기 회로 ·

· ㉠ 전구 두 개를 한 줄로 연결함.

(2) ㈏ 전기 회로 ·

· ㉡ 전구 두 개를 각각 다른 줄에 나누어 한 개씩 연결함.

2 위 전기 회로에서 전구의 병렬연결에 해당하는 것의 기호를 쓰시오.

( )

3 위 전기 회로에서 전구의 밝기를 비교한 것으로 옳은 것을 다음 **보기**에서 골라 기호를 쓰시오.

> **보기**
> ㉠ ㈎ 전기 회로와 ㈏ 전기 회로 전구의 밝기는 같습니다.
> ㉡ ㈎ 전기 회로의 전구가 ㈏ 전기 회로의 전구보다 더 밝습니다.
> ㉢ ㈏ 전기 회로의 전구가 ㈎ 전기 회로의 전구보다 더 밝습니다.

( )

4 다음 중 전기 회로의 스위치를 닫았을 때 전구의 밝기가 <u>다른</u> 하나를 골라 기호를 쓰시오.

(   )

5 오른쪽 전기 회로에서 전구 끼우개에 연결된 전구 한 개를 빼내고 스위치를 닫았을 때의 결과로 옳은 것에 ○표를 하시오.

(1) 나머지 전구 불이 꺼집니다. (   )

(2) 나머지 전구 불이 꺼지지 않습니다. (   )

똑똑한 하루 퀴즈

6 다음 □ 안에 들어갈 알맞은 낱말을 말 상자에서 찾아 모두 ○표를 하세요. 말 상자의 낱말은 가로, 세로, 대각선에 숨어 있어요.

병	✦	밝	음
✦	렬	✦	어
직	✦	꺼	두
렬	짐	✦	움

❶ 전구 두 개가 한 줄에 연결되어 있는 것은 전구 두 개를 □□로 연결한 것임.

❷ 전구 두 개를 병렬연결한 전기 회로의 전구가 전구 두 개를 직렬연결한 전기 회로의 전구보다 더 □□.

❸ 장식용 나무에 설치된 전구 중 일부만 불이 켜져 있다면 불이 켜진 전구와 불이 꺼진 전구는 □□로 연결되어 있음.

우주 괴물 전용 추적기

용어 체크

📍 **나침반**

자석이 북쪽과 남쪽을 가리키는 성질을 이용해 방향을 찾을 수 있게 만든 도구

예 전류가 흐르는 전선 주위에서 ❶ [ ] 바늘을 더 크게 움직이려면
전지 여러 개를 직렬연결한다.

정답 ❶ 나침반

정답 ❶ 자기장

찾아라! 전자석을 만드는 재료

1
주

용어 체크

📍 **자기장**

자석이나 전류의 힘이 미치는 공간

磁	氣	場
자석	기운	마당
자	기	장

예 전선과 나침반 바늘이 나란히 되도록 하여 전류를 흐르게 하면 전선 주위에 ❶ ⬚⬚⬚⬚ 이 발생한다.

▶ 실험 동영상

1 전류가 흐르는 전선 주위에서 나침반 바늘은 어떻게 움직일까?

전류가 흐르는 전선 주위에 나침반을 놓았을 때

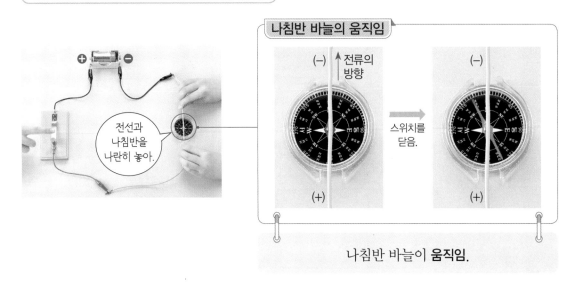

나침반 바늘의 움직임

전선과 나침반을 나란히 놓아.

(−) ↑전류의 방향 (+)

스위치를 닫음.

나침반 바늘이 **움직임.**

전지의 극을 반대로 연결했을 때

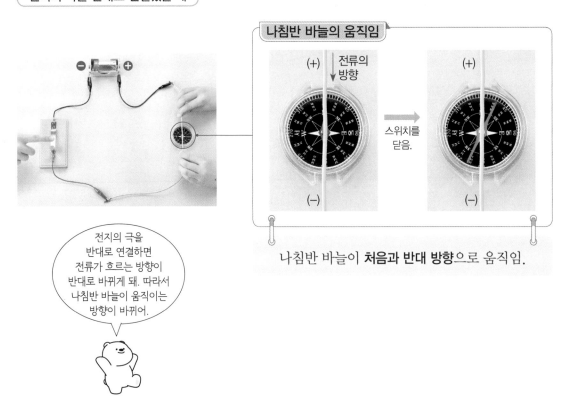

나침반 바늘의 움직임

(+) ↓전류의 방향 (−)

스위치를 닫음.

나침반 바늘이 **처음과 반대 방향**으로 움직임.

전지의 극을 반대로 연결하면 전류가 흐르는 방향이 반대로 바뀌게 돼. 따라서 나침반 바늘이 움직이는 방향이 바뀌어.

✔ 전선을 나침반 위에 놓고, 전선과 나침반 바늘이 나란히 되도록 한 뒤 스위치를 닫았을 때 나침반 바늘이
❶(움직입 / 움직이지 않습)니다.

전류가 흐르는 전선 주위의 나침반

2 전류가 흐르는 전선 주위에서 나침반 바늘이 움직이는 까닭은 무엇일까?

막대자석을 나침반에 가까이 가져가기

S극이 끌려옴.

▲ 막대자석의 N극을 가까이 했을 때

N극이 끌려옴.

▲ 막대자석의 S극을 가까이 했을 때

자석의 성질 때문에 나침반 바늘이 움직여.

전선 주위에서 나침반 바늘이 움직이는 까닭

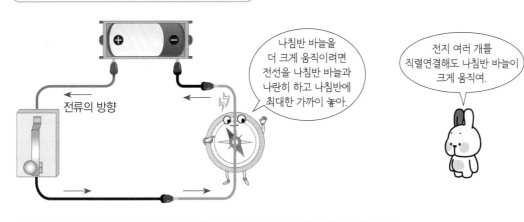
전류의 방향

나침반 바늘을 더 크게 움직이려면 전선을 나침반 바늘과 나란히 하고 나침반에 최대한 가까이 놓아.

전지 여러 개를 직렬연결해도 나침반 바늘이 크게 움직여.

전류가 흐르는 전선 주위에서 나침반 바늘이 움직이는 까닭
- 전선 주위에 **자석의 성질**이 나타났기 때문임.
- 전선에 흐르는 전류가 나침반 바늘에 영향을 주었기 때문임.

☑ 전류가 흐르는 전선 주위에 ❷(자석 / 용수철)의 성질이 나타났기 때문에 나침반 바늘이 움직입니다.

정답 ❶ 움직임 ❷ 자석

개념 체크

◦ 정답과 풀이 2쪽

1 전지의 극을 반대로 하면 전선 주위의 나침반 바늘이 [　][　] 방향으로 움직입니다.

2 전류가 흐르는 전선 주위에는 [　][　]의 성질이 나타납니다.

3 전지 여러 개를 [　][　] 연결하면 전류가 흐르는 전선 주위에서 나침반 바늘이 더 크게 움직입니다.

보기
- 같은
- 반대
- 전류
- 자석
- 직렬
- 병렬

1 오른쪽과 같이 전기 회로의 전선을 나침반 위에 놓고 스위치를 닫았을 때 나침반 바늘의 움직임으로 옳은 것의 기호를 쓰시오.

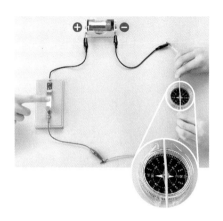

ㄱ

▲ 나침반 바늘이 움직임.

ㄴ

▲ 나침반 바늘이 움직이지 않음.

(   )

2 위 **1**번 전기 회로에서 오른쪽처럼 전지의 극을 반대로 연결하고 스위치를 닫았을 때 나침반 바늘의 모습으로 옳은 것에 ○표를 하시오.

(1)

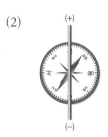

(   )

(2)

(   )

3 다음은 위 **2**번의 답과 같은 현상이 나타나는 까닭에 대한 설명입니다. ☐ 안에 들어갈 알맞은 말을 쓰시오.

전지의 극을 반대로 연결하면 전선에 흐르는 ☐☐의 방향이 바뀌기 때문입니다.

(   )

4 다음 중 전류가 흐르는 전선 주위에서 나침반 바늘이 움직이는 까닭으로 옳은 것은 어느 것입니까? (   )

① 나침반 바늘이 고장 났기 때문이다.

② 나침반 바늘이 부도체로 만들어졌기 때문이다.

③ 나침반 바늘이 북쪽과 남쪽을 가리키기 때문이다.

④ 전류가 흐르는 전선 주위에서 자석의 성질이 나타났기 때문이다.

⑤ 전류가 흐르는 전선에서 나침반 바늘로 전류가 흘렀기 때문이다.

5 다음 보기 에서 전류가 흐르는 전선 주위에서 나침반 바늘을 더 크게 움직이게 하는 방법으로 옳은 것을 두 가지 골라 기호를 쓰시오.

보기
㉠ 전지의 극을 반대로 연결합니다.
㉡ 전지 여러 개를 병렬연결합니다.
㉢ 전지 여러 개를 직렬연결합니다.
㉣ 전선을 나침반 위에 최대한 가까이 놓습니다.

(,   )

똑똑한 하루 퀴즈

6 다음 □ 안에 들어갈 알맞은 낱말을 말 상자에서 찾아 모두 ○표를 하세요. 말 상자의 낱말은 가로, 세로, 대각선에 숨어 있어요.

원	전	류	바
래	☆	늘	자
☆	반	☆	석
전	기	대	☆

❶ □□이/가 흐르는 전선을 나침반 가까이 가져가면 나침반 바늘이 움직임.

❷ 전지의 극을 반대로 연결하고 전기 회로의 스위치를 닫았을 때 나침반 바늘이 □□ 방향으로 움직임.

❸ 전선 주위에서 나침반 바늘이 움직이는 까닭은 전류가 흐르는 전선 주위에 □□의 성질이 나타났기 때문임.

 드디어 나타난 엘런

완성했다, 전자석 화살!

전자석이라고요?

전자석은 전류가 흐르는 전선 주위에 자석의 성질이 나타나는 것을 이용해 만든 자석이야.

철심에 에나멜선을 여러 번 감아 전기 회로와 연결해 만들 수 있어.

대단하군! 지구인 꼬마가 전자석을 알고 있다니.

전자석과 자석의 차이도 알거든요. 전자석은 전류가 흐를 때에만 자석의 성질을 띠고, 전류의 방향이 바뀌면 전자석의 극도 바뀌어요.

뭐해요?

전자석은 전지의 개수가 늘어날수록 그 세기가 더 강해져. 즉, 내 몸의 전기를 이용해서 힘을 올린 거지.

나타났구나, 엘런!

정말 있었어!

🐻 **용어 체크**

📍 **전자석**

전류가 흐르는 전선 주위에 자석의 성질이 나타나는 것을 이용해 만든 자석

예 ❶ [   ]은 철심에 에나멜선을 여러 번 감아 전기 회로와 연결해 만들 수 있다.

정답 ❶ 전자석

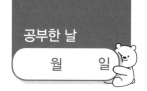

꼭 지켜요! 전기 안전, 전기 절약

용어 체크

플러그

전기 기구에 전기를 공급하기 위해 사용되는 접속
기구

예 ❶ [   ] 를 뽑을 때에는 전선을 잡아
당기지 않는다.

콘센트

플러그를 끼워 전기를 통하게 하는 장치

예 ❷ [   ] 한 개에 플러그 여러 개를
한꺼번에 꽂아 놓지 않는다.

전류가 흐르는 전선 주위에 자석의 성질이 나타나는 것을 이용해 만든 자석

▶ 실험 동영상

1 전자석은 어떤 성질이 있을까?

전류가 흐를 때에만 자석의 성질이 나타나요.

전지의 개수에 따른 전자석의 성질

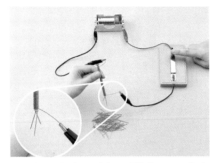

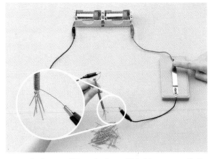

직렬연결된 전지의 개수를 다르게 하면 **전자석의 세기**를 조절할 수 있어.

▲ 전지 한 개를 연결 : 시침바늘 3~4개가 전자석에 붙음.

▲ 전지 두 개를 연결 : 시침바늘 6~8개가 전자석에 붙음.

전지의 연결 방향에 따른 전자석의 성질

전류가 흐르는 방향이 바뀌면 **전자석의 극**도 바뀌어.

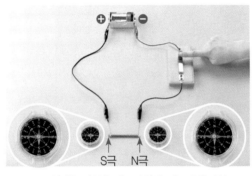

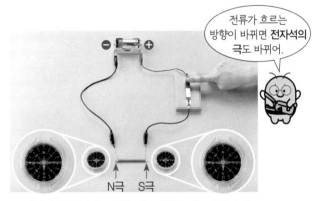

S극 N극

N극 S극

▲ 스위치를 닫았을 때 : 나침반 바늘이 움직임.

▲ 전지의 극을 반대로 했을 때 : 나침반 바늘이 가리키는 방향이 반대로 바뀜.

선풍기, 세탁기, 머리말리개, 헤드폰 등에도 이용돼요.

전자석의 이용

▲ 스피커

▲ 전자석 기중기

▲ 자기 부상 열차

☑ 전자석은 직렬로 연결된 전지의 개수를 다르게 하면 전자석의 ❶(굵기 / 세기)를 조절할 수 있고, 전류가 흐르는 방향이 바뀌면 전자석의 ❷(극 / 방향)도 바뀝니다.

2 전기를 안전하게 사용하고 절약하는 방법은 무엇일까?

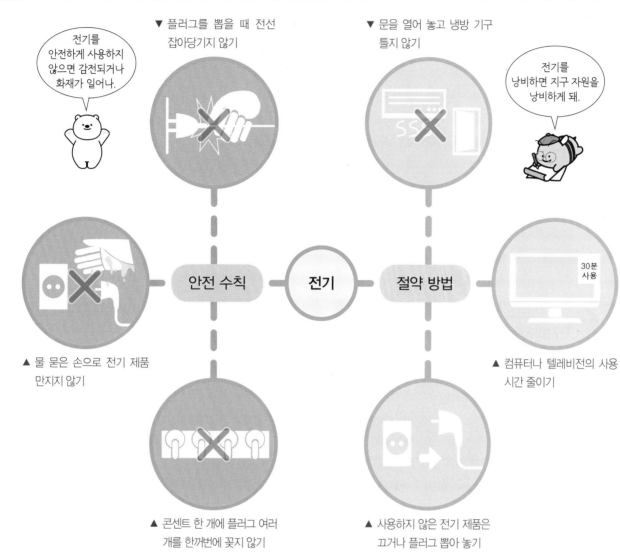

전기를 안전하게 사용하지 않으면 감전되거나 화재가 일어나.

▼ 플러그를 뽑을 때 전선 잡아당기지 않기

▼ 문을 열어 놓고 냉방 기구 틀지 않기

전기를 낭비하면 지구 자원을 낭비하게 돼.

안전 수칙 — 전기 — 절약 방법

30분 사용

▲ 물 묻은 손으로 전기 제품 만지지 않기

▲ 컴퓨터나 텔레비전의 사용 시간 줄이기

▲ 콘센트 한 개에 플러그 여러 개를 한꺼번에 꽂지 않기

▲ 사용하지 않은 전기 제품은 끄거나 플러그 뽑아 놓기

☑ 전선을 잡아당겨 ❸(콘센트 / **플러그**)를 뽑지 않고, 문을 ❹(**열어** / 닫아) 놓고 냉방 기구를 틀지 않습니다.

정답 ❶ 세기 ❷ 극 ❸ 플러그 ❹ 열어

개념 체크

정답과 풀이 2쪽

1 ☐☐☐은/는 전류가 흐를 때에만 자석의 성질이 나타납니다.

2 전자석 기중기, 자기 부상 열차, ☐☐☐ 등에 전자석을 이용합니다.

3 전기를 안전하게 사용하지 않으면 ☐☐되거나 화재가 일어날 수 있습니다.

보기
· 전자석   · 스위치
· 바둑판   · 선풍기
· 절약   · 감전

○ 정답과 풀이 2쪽

1 오른쪽은 전자석 끝부분을 시침바늘에 가까이 가져간 모습입니다. 스위치를 열었거나 닫았을 때 나타나는 현상으로 옳은 것에 ○표를 하시오.

(1) 스위치를 닫았을 때 시침바늘이 전자석에 붙습니다.

(   )

(2) 스위치를 열었을 때 시침바늘이 전자석에 붙습니다.

(   )

2 전자석에 연결한 전지의 개수를 다르게 하여 스위치를 닫았을 때 전자석의 끝부분에 붙는 시침바늘의 개수로 옳은 것끼리 줄로 바르게 이으시오.

(1)
| 전지 한 개를 연결할 때 |

·   · ㉠
| 시침바늘이 전자석에 많이 붙음. |

(2)
| 전지 두 개를 직렬로 연결할 때 |

·   · ㉡
| 시침바늘이 전자석에 적게 붙음. |

3 오른쪽은 전자석의 양 끝에 나침반을 놓고 스위치를 닫았을 때의 모습입니다. 전지의 극을 반대로 하고 스위치를 닫았을 때 나침반 바늘을 바르게 나타낸 것의 기호를 쓰시오.

㉠

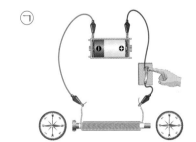

㉡

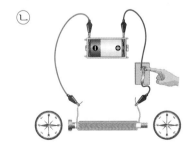

(   )

4 전기 사용 방법으로 위험한 모습에는 '위험', 안전한 모습에는 '안전'이라고 각각 쓰시오.

(1)

▲ 마른 손으로 전기 제품을 만짐.

(   )

(2)
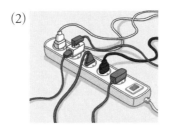
▲ 콘센트 한 개에 플러그 여러 개를 꽂아서 사용함.

(   )

 **전자석의 성질과 이용**

5 다음 보기 에서 전자석의 성질로 옳은 것을 골라 기호를 쓰시오.

보기
㉠ 전자석의 형태는 모두 같습니다.
㉡ 전자석의 극은 항상 일정합니다.
㉢ 전자석의 세기는 항상 일정합니다.
㉣ 전류가 흐를 때에만 자석의 성질이 나타납니다.

(   )

전자석의 세기와 극에 영향을 주는 것은 무엇일까?

• 전자석의 세기 : 직렬연결된 ◯◯의 개수

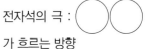
• 전자석의 극 : ◯◯가 흐르는 방향

냉장고에 붙는 자석 병따개의 뒷면은 무엇으로 되어 있을까?

6 다음 중 우리 생활에서 전자석을 이용하는 예가 <u>아닌</u> 것은 어느 것입니까? (   )

① 선풍기   ② 스피커
③ 자석 병따개   ④ 전자석 기중기
⑤ 자기 부상 열차

1 전지의 연결 방법에 따른 전구의 밝기

전지, 전선, 전구 등 전기 부품을 서로 연결해 전기가 흐르도록 한 것을 전기 회로라고 해.

 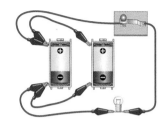

▲ 전지의 직렬연결 : 전지 두 개 이상을 서로 다른 극끼리 연결하는 방법

▲ 전지의 병렬연결 : 전지 두 개 이상을 서로 같은 극끼리 연결하는 방법

전구의 밝기 : 전지를 직렬연결한 전기 회로의 전구가 더 밝음.

2 전구의 연결 방법에 따른 전구의 밝기

전구의 직렬연결에서는 한 전구 불이 꺼지면 나머지 전구 불도 꺼져.

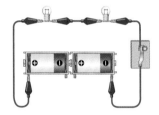 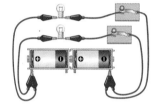

▲ 전구의 직렬연결 : 전구 두 개 이상을 한 줄로 연결하는 방법

▲ 전구의 병렬연결 : 전구 두 개 이상을 여러 개의 줄에 나누어 한 개씩 연결하는 방법

전구의 밝기 : 전구를 병렬연결한 전기 회로의 전구가 더 밝음.

3 전류가 흐르는 전선 주위의 나침반

① 전류가 흐르는 전선 주위에서 나침반 바늘의 움직임 : 전지의 극을 반대로 연결해 스위치를 닫으면 나침반 바늘이 처음과 반대 방향으로 움직입니다.

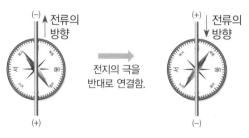

② 전류가 흐르는 전선 주위에서 나침반 바늘이 움직이는 까닭 : 전류가 흐르는 전선 주위에 자석의 성질이 나타나기 때문입니다.

4 전자석의 성질 / 전기의 안전과 절약

① **전자석** : 전류가 흐르는 전선 주위에 자석의 성질이 나타나는 것을 이용해 만든
자석

② **전자석의 성질**

- 전기가 흐를 때에만 자석의 성질이 나타남.
- 전자석에 흐르는 전류의 방향이 바뀌면 전자석의 극이 바뀜.
- 직렬로 연결된 전지의 개수를 다르게 해 전자석의 세기를 조절할 수 있음.

③ **전자석의 이용**

자기 부상 열차,
세탁기, 스피커 등에도
전자석을 이용해.

▲ 선풍기

▲ 머리말리개

▲ 전자석 기중기

④ **전기 안전과 전기 절약 방법**

전기를 안전하게 사용하는 방법	• 전선으로 장난치지 않기 • 물 묻은 손으로 전기 제품 만지지 않기 • 플러그를 뽑을 때 전선을 잡아당기지 않기 • 콘센트 한 개에 플러그 여러 개를 한꺼번에 꽂아서 사용하지 않기
전기를 절약하는 방법	• 사용하지 않는 전등 끄기 • 에어컨을 켤 때에는 문을 닫기 • 사용하지 않는 전기 제품은 끄기 • 컴퓨터나 텔레비전의 사용 시간 줄이기

하루 웹툰 **전기로 움직이는 전기 자동차** ★★★☆☆

1일 전지의 연결 방법에 따른 전구의 밝기

1 다음 중 도체와 부도체의 물질을 바르게 짝지은 것은 어느 것입니까? (   )

| 철 | 나무 | 비닐 | 구리 |

	도체	부도체		도체	부도체
①	철, 나무	비닐, 구리	②	철, 비닐	나무, 구리
③	철, 구리	나무, 비닐	④	나무, 비닐	철, 구리
⑤	나무, 구리	철, 비닐			

2 다음은 오른쪽 전기 회로도에서 전구에 불이 켜지지 않는 까닭에 대한 설명입니다. ☐ 안에 공통으로 들어갈 알맞은 말을 쓰시오.

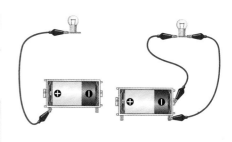

전지, 전선, ☐ 이/가 끊어져 있고 ☐ 이/가 전지의 (+)극과 (−)극에 각각 연결되어 있지 않기 때문입니다.

(   )

3 다음 전기 회로에서 전구의 밝기가 <u>다른</u> 하나는 어느 것입니까? (   )

①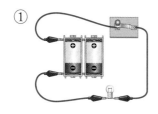

②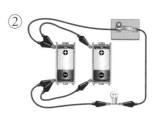

③

④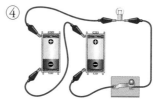

4 다음 전지의 연결 방법에 따른 전구의 밝기를 >, =, < 중 하나를 이용해 비교하여 나타 내시오.

> 전지 두 개를 직렬연결한 전기 회로의 전구

> 전지 두 개를 병렬연결한 전기 회로의 전구

2일 전구의 연결 방법에 따른 전구의 밝기

5 다음 중 전구 두 개를 직렬연결한 전기 회로를 두 가지 골라 기호를 쓰시오.

 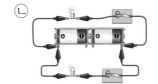 

(,   )

6 위 **5**번에서 전기 회로의 스위치를 닫았을 때 전구의 밝기가 가장 밝고, 한 전구의 불이 꺼져도 나머지 전구 불이 꺼지지 않는 전기 회로를 골라 기호를 쓰시오.

(   )

3일 전류가 흐르는 전선 주위의 나침반

7 전류가 흐르는 전선을 나침반에 가까이 가져가면 나침반 바늘이 움직입니다. 이때 나침반 바늘을 반대 방향으로 움직이게 하는 방법으로 옳은 것은 어느 것입니까? (   )

① 전지의 극을 반대로 연결한다.
② 전지 여러 개를 직렬로 연결한다.
③ 전지 여러 개를 병렬로 연결한다.
④ 전선을 나침반에서 최대한 멀게 놓는다.
⑤ 전선을 나침반에 최대한 가깝게 놓는다.

4일 전자석의 성질 / 전기의 안전과 절약

서술형

8 다음과 같이 전자석에 연결한 전지의 개수를 다르게 해 전자석의 끝부분을 시침바늘에 가까이 가져가 보았습니다.

▲ 전자석에 전지 한 개를 연결함.

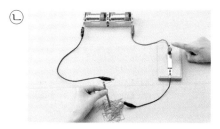

▲ 전자석에 전지 두 개를 직렬로 연결함.

(1) 위에서 스위치를 닫았을 때 전자석에 붙는 시침바늘의 개수가 더 많은 것의 기호를 쓰시오.

(   )

(2) 위 (1)번 답을 통해 알게 된 전자석의 성질을 쓰시오.

전자석은 _____

_____

9 다음과 같이 전지의 연결 방향을 다르게 하여 전자석의 양 끝에 나침반을 놓고 스위치를 닫았습니다. 이를 통해 알게 된 전자석의 성질로 옳은 것에 ○표를 하시오.

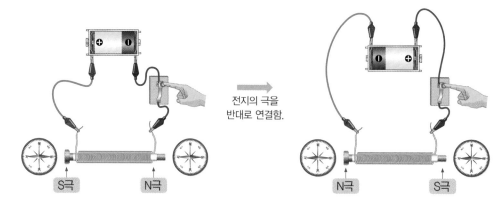

(1) 전자석은 전류가 흐를 때에만 자석의 성질이 나타납니다. (   )
(2) 전자석은 전류가 흐르는 방향이 바뀌면 전자석의 극이 바뀝니다. (   )

10 다음 보기에서 우리 생활에 전자석을 이용하는 예로 옳은 것을 골라 기호를 쓰시오.

> **보기**
> ㉠ 다리미　　　　㉡ 돋보기　　　　㉢ 선풍기　　　　㉣ 현미경

(　　　　)

11 다음 중 전기를 안전하게 사용하는 방법으로 옳은 것을 골라 기호를 쓰시오.

㉠

▲ 물 묻은 손으로 전기 제품 만지기

㉡
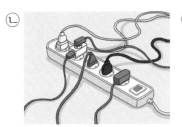
▲ 플러그 여러 개를 꽂아서 사용하기

㉢

▲ 사용하지 않는 콘센트에 콘센트 덮개를 끼우기

(　　　　)

똑똑한 하루 퀴즈

12 다음 십자말풀이를 해 보세요.

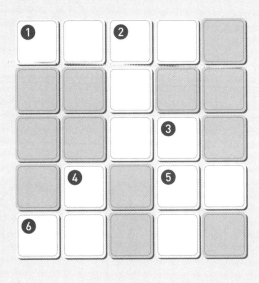

➡ 가로

❶ 전구, 전지, 전선, 스위치 등은 ☐☐ ☐☐임.

❺ 전류가 흐르는 전선 주위에는 ☐☐의 성질이 나타남.

❻ 전지의 ☐☐연결은 전기 회로에서 전지 두 개 이상을 서로 다른 극끼리 연결하는 방법임.

⬇ 세로

❷ 전류가 잘 흐르지 않는 물질

❸ ☐☐☐은 전류가 흐를 때에만 자석의 성질이 나타남.

❹ 전구 두 개를 ☐☐연결한 전기 회로의 전구는 직렬 연결한 회로의 전구보다 밝음.

1 전지, 전선, 전구를 다음과 같이 연결했을 때 전구에 불이 켜지는 것을 골라 기호를 쓰시오.

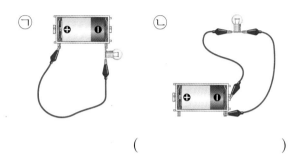

(　　　　　　　)

2 다음 중 도체끼리 바르게 짝지은 것은 어느 것입니까? (　　　)

① 철, 나무
② 구리, 비닐
③ 구리, 흑연
④ 비닐, 유리
⑤ 종이, 알루미늄

3 다음 전기 회로에 대한 설명으로 옳은 것을 두 가지 고르시오. (　　 , 　　)

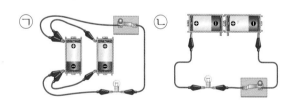

① ㉠은 전지의 직렬연결이다.
② ㉡은 전지의 직렬연결이다.
③ ㉠의 전구가 ㉡의 전구보다 밝다.
④ ㉠은 전지 두 개가 서로 같은 극끼리 연결되어 있다.
⑤ ㉡은 전지 두 개가 서로 같은 극끼리 연결되어 있다.

4 다음 전기 회로에서 전구의 밝기가 다른 하나는 어느 것입니까? (　　　)

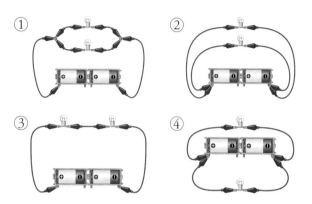

5 다음은 전류가 흐르는 전선 주위에서 나침반 바늘이 움직인 모습입니다. 전지의 극을 반대로 연결했을 때 나침반 바늘의 움직임으로 옳은 것의 기호를 쓰시오.

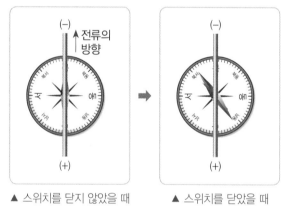

▲ 스위치를 닫지 않을 때　　▲ 스위치를 닫았을 때

(　　　　　　　)

6 다음은 전류가 흐르는 전선 주위에서 나침반 바늘이 움직이는 까닭입니다. □ 안에 들어갈 말로 옳은 것은 어느 것입니까? (   )

> 전류가 흐르는 전선 주위에 □ 의 성질이 나타나 나침반 바늘에 영향을 주기 때문입니다.

① 물   ② 흙
③ 공기   ④ 자석
⑤ 플라스틱

7 다음은 전자석에 연결한 전지의 개수가 다를 때 시침바늘이 붙은 모습입니다. 이를 통해 알 수 있는 전자석의 성질은 어느 것입니까?

(   )

▲ 전지 한 개를 연결했을 때   ▲ 전지 두 개를 직렬로 연결했을 때

① 전자석의 극은 일정하다.
② 전자석의 세기는 일정하다.
③ 전류가 흐를 때에만 자석의 성질이 나타난다.
④ 전류가 흐르는 방향이 바뀌면 전자석의 극도 바뀐다.
⑤ 직렬로 연결된 전지의 개수를 다르게 하면 전자석의 세기를 조절할 수 있다.

8 다음은 전자석의 양 끝에 나침반을 놓고 스위치를 닫은 모습입니다. 전자석의 ㉠, ㉡은 각각 어떤 극인지 쓰시오.

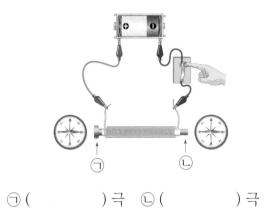

㉠ (   ) 극   ㉡ (   ) 극

9 다음 보기 에서 우리 생활에서 전자석을 이용하는 예를 두 가지 골라 기호를 쓰시오.

> **보기**
> ㉠ 스피커   ㉡ 바둑판
> ㉢ 냉장고 문   ㉣ 자기 부상 열차

(,   )

10 다음 중 전기를 안전하게 사용하고 절약하는 방법으로 옳은 것에 ○표를, 옳지 않은 것에는 ×표를 하시오.

(1) 사용하지 않는 전등은 끕니다. (   )
(2) 문을 열어 놓고 냉방 기구를 켭니다.
(   )
(3) 물 묻은 손으로 전기 제품을 만집니다.
(   )
(4) 전선을 잡아당겨 플러그를 뽑지 않습니다.
(   )

1주 특강

생활 속 과학

우리 생활에서 전자석을 이용하는 예와 그 쓰임새를 알아봅니다.

전자석은 어디에 이용될까?

전자석 기중기

기중기의 전자석에 전류가 흘러 자석의 성질이 나타나면 무거운 철제품을 전자석에 붙여 다른 장소로 옮겨요.

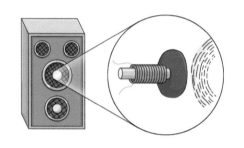

스피커

스피커 안쪽의 전자석과 영구 자석이 밀고 당기면서 얇은 판을 떨리게 해 소리가 나요.

전기 자동차, 세탁기, 머리말리개 등도 전동기 안의 전자석이 회전하며 작동해.

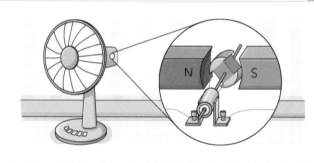

선풍기

전자석의 성질을 이용한 전동기에 날개를 부착해 전동기를 회전시켜 바람을 일으켜요.

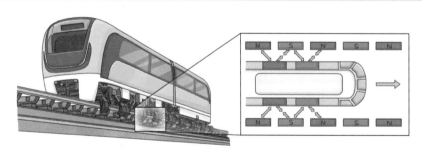

자기 부상 열차

전류가 흐를 때 자기 부상 열차와 철로가 서로 밀어 내어 열차가 철로 위에 떠서 빠르게 이동해요.

1 윤미는 보물을 찾기 위해 비밀의 방에 들어왔어요. 내용이 옳으면 ○표, 옳지 않으면 ✕표로 이동하면서 보물이 들어 있는 문을 찾아 번호를 쓰세요.

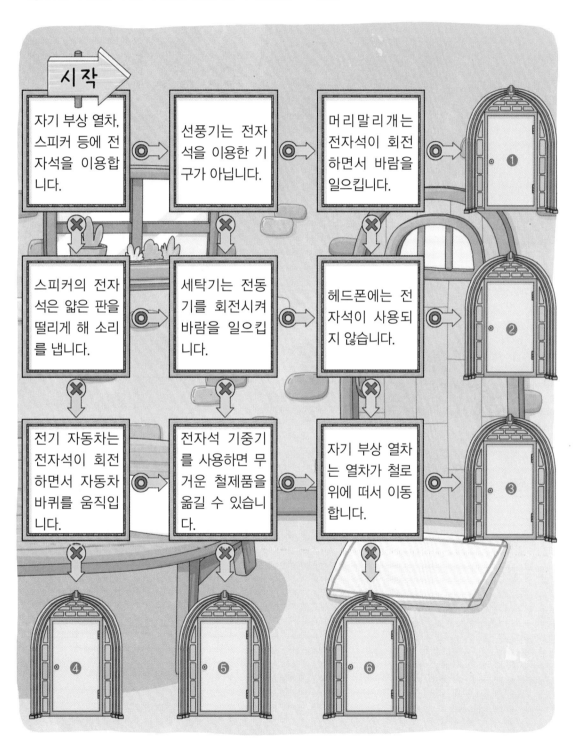

보물이 들어 있는 방의 번호

사고 쑥쑥

전기 제품에서 전지의 연결 방법을 알아봅니다.

2 다음 만화를 읽고 리모컨과 마우스에서 전지가 어떤 방법으로 연결되어 있는지 보기 에서 골라 쓰세요.

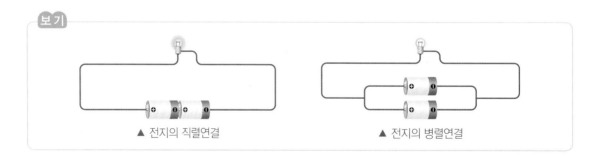

보기

▲ 전지의 직렬연결

▲ 전지의 병렬연결

위의 리모컨에서 전지의 연결 방법	㉠	위의 마우스에서 전지의 연결 방법	㉡

3 다음 만화를 읽고 장식용 나무에 설치된 전기 회로를 통해 알 수 있는 전구의 연결 방법과 특징을 줄로 바르게 이으세요.

(1)

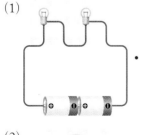

• ㉠ 전구의 직렬연결 •

• (가) 한 전구의 불이 꺼져도 나머지 전구의 불이 꺼지지 않음.

(2)

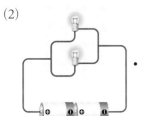

• ㉡ 전구의 병렬연결 •

• (나) 한 전구의 불이 꺼지면 나머지 전구의 불이 꺼짐.

4 영구 자석과 비교해 전자석은 어떤 성질이 있을까요? 다음 순서도에서 문제를 해결하는 과정에 맞게 길을 따라가며 표시하고 답을 쓰세요.

순서도는 흐름에 따라 작동하여 문제를 해결하고 원하는 결과를 얻는 과정을 나타낸 것이야.

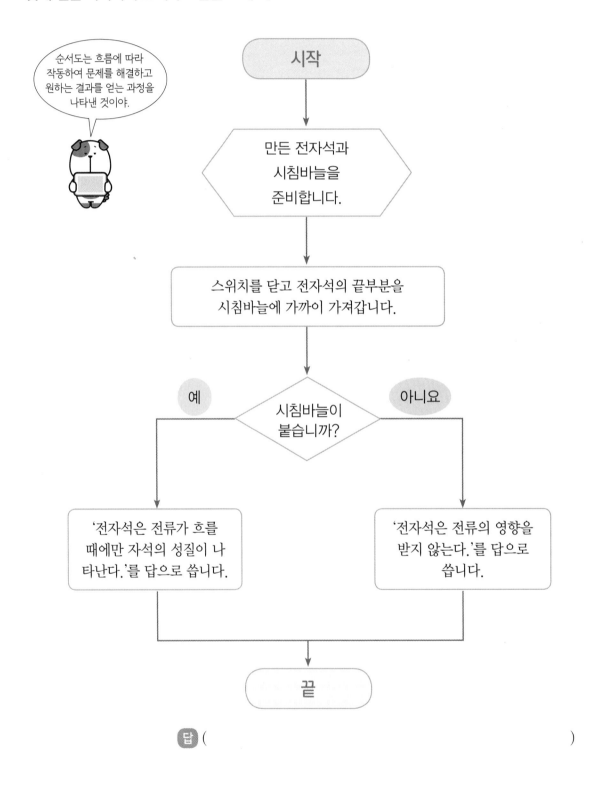

답 (   )

5 다음을 보고 칸을 지날 때마다 전기를 안전하게 사용하고 절약하는 모습이면 더하기 2, 전기를 위험하게 사용하고 낭비하는 모습이면 빼기 1을 하여 도착했을 때 나오는 숫자를 계산하여 쓰세요.

계산한 숫자

태양이 남중했을 때 태양 고도가 가장 높아.

▲ 실, 막대기, 각도기를 이용해 태양 고도를 측정할 수 있음.

여름
봄, 가을
겨울
남   서   북
동

태양 고도

계절별 태양의 위치

여름에 가장 높고, 겨울에 가장 낮아.

계절의 변화

계절별 낮의 길이

계절 변화 까닭

▲ 여름에는 저녁 6시 무렵에도 밖이 환한데, 겨울에는 어두움.

지구의 자전축
▲ 지구의 자전축이 기울어진 채 태양 주위를 공전하기 때문에 계절이 변함.

계절별 태양의 남중 고도가 달라져서 계절별로 낮의 길이와 기온의 변화가 나타난다는 것을 꼭 기억해.

태양 고도

太 陽 高 度
클 태 볕 양 높을 고 정도 도

뜻 태양이 지표면과 이루는 각

예 아침에는 태양이 지표면 근처에서 보이기 때문에 **태양 고도**가 낮아요.

남중

南 中
남녘 남 가운데 중

> 남중했을 때 그림자 길이가 하루 중 가장 짧아.

뜻 하루 중 태양이 정남쪽에 위치하는 것 또는 그 시간

예 태양이 **남중**했을 때 태양 고도는 하루 중 가장 높아요.

> 태양이 남중했을 때 그림자 길이는 하루 중 가장 짧아.

태양의 남중 고도

뜻 태양이 남중했을 때의 고도

예 여름에는 **태양의 남중 고도**가 높고, 낮의 길이가 길어요.

태양 에너지

> 태양 에너지가 없으면 지구에 생물이 살기 어려워.

뜻 태양으로부터 나오는 모든 종류의 에너지

예 **태양 에너지**는 여러 가지 종류의 에너지로 전환되어 사용돼요.

계절의 변화 관련된 다양한 용어가 있어. 특히 태양 고도, 남중, 태양의 남중 고도 등의 용어는 꼭 기억해!

자전축

自 轉 軸
스스로 회전할 굴대
자 전 축

뜻 지구 자전의 중심이 되는 지구의 북극과 남극을 이은 가상의 직선

예 지구의 **자전축**이 수직인 채 공전한다면 계절이 변하지 않을 것이에요.

공전 궤도면

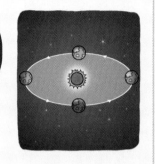

軌 道 面
바퀴자국 길 평면
궤 도 면

뜻 지구가 공전할 때 운동하는 일정한 길을 이루는 평면

예 지구의 자전축은 **공전 궤도면**의 수직인 방향에서 약 23.5° 기울어져 있어요.

지구의 자전축은 공전 궤도면에 대해 기울어져 있어.

앙부일구

仰 釜 日 晷
우러를 가마솥 날 그림자
앙 부 일 구

뜻 조선 시대에 만들어진 오목한 모양의 해시계

예 **앙부일구**를 통해 계절에 따라 그림자 길이가 달라지는 원리를 이용하여 절기를 알 수 있어요.

여름에는 태양의 남중 고도가 높아요.

계절에 따라 태양의 남중 고도가 달라요.

겨울에는 태양의 남중 고도가 낮아.

1일 하루 동안 태양 고도, 그림자 길이, 기온의 관계

 막대기와 각도기로 태양 고도를 알 수 있어.

지금 뭐 해요?

막대기와 각도기로 ◉태양 고도를 알아보려는 거야.

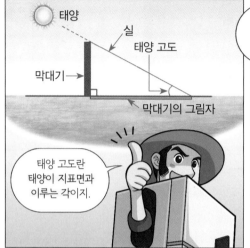

태양
실
태양 고도
막대기 →
막대기의 그림자

태양 고도란 태양이 지표면과 이루는 각이지.

이 태양 고도를 이용해 시각을 알 수 있다고.

태양 고도
태양 고도

▲ 태양 고도가 낮을 때
▲ 태양 고도가 높을 때

그림자는 낮 12시 30분 무렵에 가장 짧고, 해가 뜰 때나 질 때는 길지.

따라서 그림자 길이로 볼 때 지금의 시각은 대략 오후 1시에서 4시 사이!

너무 어중간하잖아요.

정확히 오후 2시 12분 25초. 휴대전화 시계가 더 정확해요.

쉬운 걸 참 어렵게 하네.

용어 체크

◉ 태양 고도

태양이 지표면과 이루는 각

예 실을 연결한 막대기를 지표면에 수직으로 세우고 그림자 끝과 막대기의 실이 이루는 각을 측정하면 [❶   ] 를 알 수 있다.

실
태양 고도

▲ 태양 고도를 측정하는 방법

정답 ❶ 태양 고도

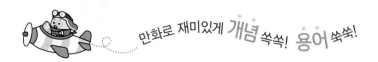 만화로 재미있게 개념 쏙쏙! 용어 쏙쏙!

공부한 날

월   일

태양이 하늘에 가장 높게 떠 있을 때는?

 용어 체크

📍 남중

하루 중 태양이 정남쪽에 위치하는 것 또는 그 시간

예 태양이 [①] 했을 때 그림자는 정북쪽을 향한다.

📍 태양의 남중 고도

태양이 남중했을 때의 고도

예 태양의 [②] 고도는 계절에 따라 다르다.

정답 ① 남중 ② 남중

▶ 실험 동영상

1 태양 고도란 무엇일까?

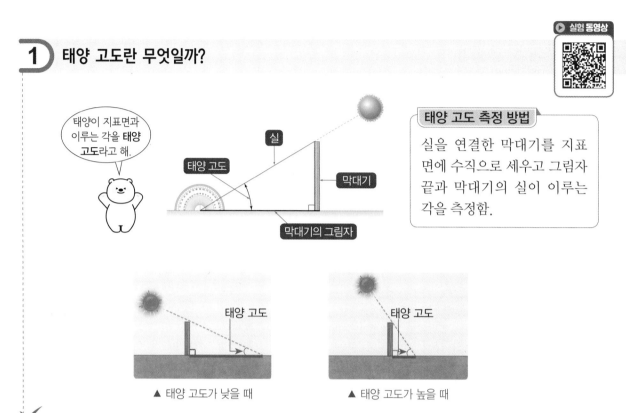

태양이 지표면과 이루는 각을 **태양 고도**라고 해.

실

태양 고도

막대기

막대기의 그림자

태양 고도 측정 방법

실을 연결한 막대기를 지표면에 수직으로 세우고 그림자 끝과 막대기의 실이 이루는 각을 측정함.

태양 고도

태양 고도

▲ 태양 고도가 낮을 때　　▲ 태양 고도가 높을 때

☑ 태양이 지표면과 이루는 각을 태양❶(각도 / **고도**)라고 합니다.

2 태양의 남중 고도란 무엇일까?

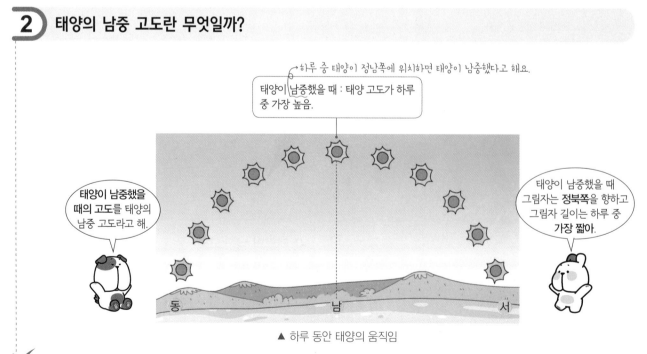

하루 중 태양이 정남쪽에 위치하면 태양이 남중했다고 해요.

태양이 남중했을 때 : 태양 고도가 하루 중 가장 높음.

태양이 남중했을 때의 고도를 태양의 남중 고도라고 해.

태양이 남중했을 때 그림자는 **정북쪽**을 향하고 그림자 길이는 하루 중 **가장 짧아.**

동　　　　남　　　　서

▲ 하루 동안 태양의 움직임

☑ 태양이 남중했을 때의 고도를 태양의 ❷(**남중** / 북중) 고도라고 합니다.

하루 동안 태양 고도, 그림자 길이, 기온의 관계

3 하루 동안 태양 고도, 그림자 길이, 기온은 어떤 관계가 있을까?

🌐 태양 고도, 그림자 길이, 기온의 그래프

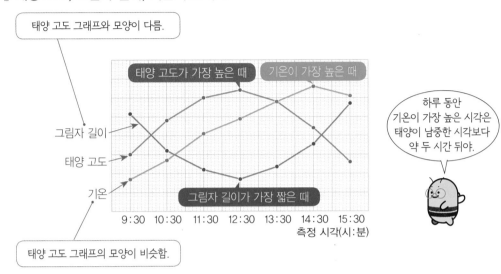

태양 고도 그래프와 모양이 다름.

태양 고도가 가장 높은 때 / 기온이 가장 높은 때

그림자 길이

태양 고도

기온

그림자 길이가 가장 짧은 때

9:30 10:30 11:30 12:30 13:30 14:30 15:30
측정 시각(시:분)

태양 고도 그래프의 모양이 비슷함.

하루 동안 기온이 가장 높은 시각은 태양이 남중한 시각보다 약 두 시간 뒤야.

🌐 하루 동안 태양 고도, 그림자 길이, 기온의 관계

- 태양 고도가 높아지면 기온은 높아짐.
- 태양 고도가 높아지면 그림자 길이가 짧아짐.
- 태양 고도가 가장 높은 때와 기온이 가장 높은 때는 차이가 있음.

지표면이 데워져 공기의 온도가 높아지는 데에는 시간이 걸리기 때문이에요.

☑ 태양 고도가 ❸(낮아 / **높아**)지면 그림자 길이가 짧아지고, 기온이 높아집니다.

정답 ❶ 고도 ❷ 남중 ❸ 높아

🐻 **개념 체크**

○→ 정답과 풀이 5쪽

1 태양이 지표면과 이루는 각을 ☐☐ 고도라고 합니다.

2 태양이 남중했을 때 태양 고도는 하루 중 가장 ☐습니다.

3 하루 중 태양 고도가 가장 높은 시각과 기온이 가장 높은 시각은 ☐☐니다.

보기
- 낮
- 높
- 지구
- 태양
- 같습
- 다릅

1 다음은 하루 동안 태양의 움직임을 나타낸 것입니다. 태양이 남중했을 때를 골라 기호를 쓰시오.

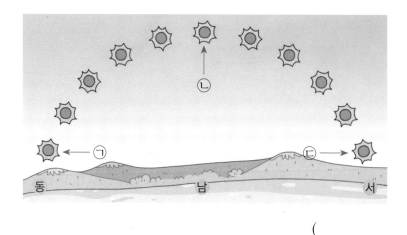

(   )

2 다음 보기 에서 태양의 남중 고도에 대한 설명으로 옳은 것끼리 바르게 짝지은 것은 어느 것입니까? (   )

보기
ㄱ 태양이 남중했을 때 그림자는 정남쪽을 향합니다.
ㄴ 태양이 남중했을 때 그림자 길이는 하루 중 가장 깁니다.
ㄷ 태양이 남중했을 때의 고도를 태양의 남중 고도라고 합니다.
ㄹ 하루 중 태양이 정남쪽에 위치하면 태양이 남중했다고 합니다.

① ㄱ, ㄴ   ② ㄱ, ㄷ   ③ ㄱ, ㄹ
④ ㄴ, ㄷ   ⑤ ㄷ, ㄹ

3 다음 중 하루 동안 측정한 태양 고도 그래프로 옳은 것을 골라 기호를 쓰시오.

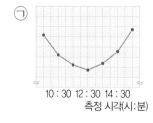
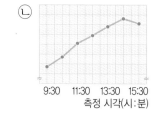
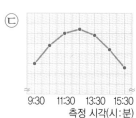

(   )

하루 동안 태양 고도, 그림자 길이, 기온의 관계

4 다음 중 하루 동안 태양 고도, 그림자 길이, 기온의 관계에 대한 설명으로 옳은 것을 두 가지 고르시오. (,   )

① 태양 고도가 높아지면 기온이 낮아진다.

② 태양 고도가 높아지면 기온이 높아진다.

③ 태양 고도가 높아지면 그림자 길이가 길어진다.

④ 태양 고도가 높아지면 그림자 길이가 짧아진다.

⑤ 태양 고도와 그림자 길이, 기온은 관계가 없다.

 집중 연습 문제   **태양 고도**

5 다음은 태양 고도를 측정하는 모습입니다. 측정해야 하는 곳을 골라 기호를 쓰시오.

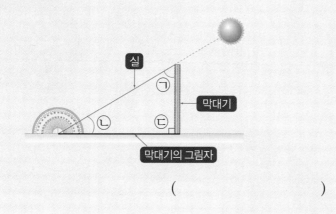

(   )

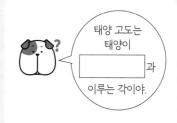

태양 고도는 태양이 [   ]과 이루는 각이야.

6 다음 중 태양 고도가 더 높은 것을 골라 기호를 쓰시오.

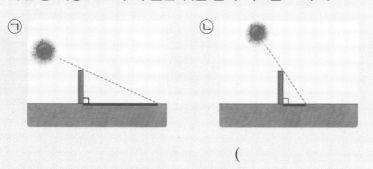

(   )

태양 고도를 측정해야 하는 부분이 어디인지를 알고, ㉠과 ㉡의 각의 크기를 비교해 봐.

엘런을 잡아라!

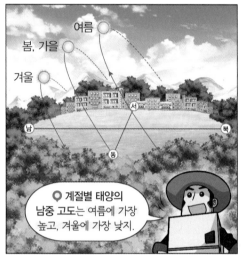

용어 체크

계절별 태양의 남중 고도

계절에 따라 태양의 남중 고도는 달라지며, 여름에 가장 높고, 겨울에 가장 낮음.

예 겨울에는 여름보다 태양의 ❶ [   ] 가 낮아 햇빛이 여름보다 교실 안까지 들어온다.

▲ 여름 : 태양의 남중 고도가 높음.

▲ 겨울 : 태양의 남중 고도가 낮음.

정답 ❶ 남중 고도

엘런이 좋아하는 환경은?

우주 괴물인데 별로 위험하지 않아 보여요.

엘런은 반려용 우주 괴물이야. 솔직히 인간에게 해는 안 끼쳐.

다만 희귀종이라서 잡아가려는 우주 해적이 많아. 엘런을 찾기 위해 지구를 공격할 수도 있거든.

다행이다. 사람을 공격하는 괴물인 줄 알았단 말이에요.

엘런은 어떤 환경에서 키우는 게 좋아요?

엘런은 서늘한 곳을 좋아해. 지금은 태양의 남중 고도가 너무 높아 더우니까 그늘진 곳으로 이동하자.

여름   겨울

여름에는 태양의 남중 고도가 높고 낮의 길이가 길어. 반대로 겨울에는 태양의 남중 고도가 낮고 낮의 길이가 짧아.

태양의 남중 고도와 계절별 낮의 길이가 계절별 기온에 영향을 주는구나.

낮이 가장 긴 날을 ○ 하지, 낮이 가장 짧은 날을 ○ 동지라고 해.

그건 이미 알고 있어요.

한편, 지구로 접근하는 의문의 비행체가 있었다.

용어 체크

○ **하지**
일 년 중에서 낮이 가장 길고 밤이 가장 짧은 날

예 태양의 남중 고도는 [①   ] 날에 가장 높다.

○ **동지**
일 년 중에서 낮이 가장 짧고 밤이 가장 긴 날

예 [②   ]는 양력으로 12월 22일이나 23일 무렵이다.

정답 ❶ 하지 ❷ 동지

1 계절별 태양의 위치는 어떻게 달라질까?

🌐 계절에 따라 다른 태양의 위치

여름 낮에는 햇빛이 교실 안까지 많이 들어오지 않지만, 겨울 낮에는 햇빛이 교실 안까지 많이 들어옴.

여름에는 오전 6시면 밖이 환한데, 겨울에는 오전 7시가 되어도 어두워.

여름에는 저녁 6시에도 밖이 환한데, 겨울에는 어두움.

🌐 계절별 태양의 위치 변화

여름에 태양의 남중 고도가 가장 높음.

봄, 가을은 여름과 겨울의 중간 정도임.

겨울에 태양의 남중 고도가 가장 낮음.

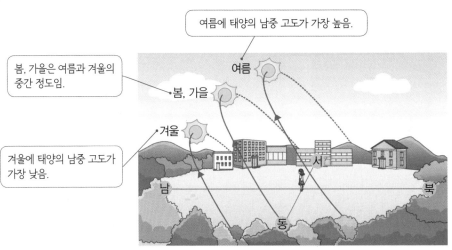

▲ 계절별 태양의 위치 변화

✅ 태양의 남중 고도는 **여름에 가장**[1](낮 / 높)고, **겨울에 가장**[2](낮 / 높)습니다.

계절별 태양의 남중 고도와 낮의 길이

2 계절에 따라 태양의 남중 고도와 낮의 길이는 어떻게 달라질까?

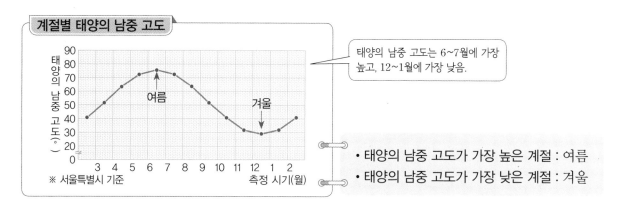

계절별 태양의 남중 고도

태양의 남중 고도는 6~7월에 가장 높고, 12~1월에 가장 낮음.

• 태양의 남중 고도가 가장 높은 계절 : 여름
• 태양의 남중 고도가 가장 낮은 계절 : 겨울

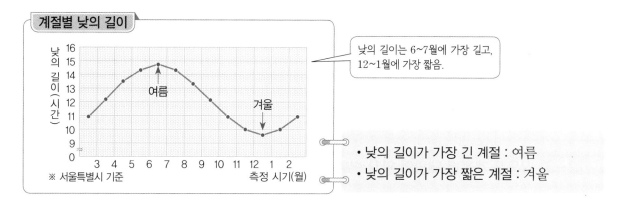

계절별 낮의 길이

낮의 길이는 6~7월에 가장 길고, 12~1월에 가장 짧음.

• 낮의 길이가 가장 긴 계절 : 여름
• 낮의 길이가 가장 짧은 계절 : 겨울

태양의 남중 고도와 낮의 길이의 관계
• 태양의 남중 고도가 **높아지면** 낮의 길이가 **길어짐**.
• 태양의 남중 고도가 **낮아지면** 낮의 길이가 **짧아짐**.
• 태양의 남중 고도와 낮의 길이는 계절별 기온에 영향을 줌.

☑ 태양의 남중 고도가 높아질수록 낮의 길이도 ③(길어 / 짧아)집니다.

정답 ❶ 높 ❷ 낮 ❸ 길어

개념 체크

◦ 정답과 풀이 5쪽

1 태양의 남중 고도가 가장 높은 계절은 ☐☐입니다.

2 낮의 길이가 가장 짧은 계절은 ☐☐입니다.

3 태양의 남중 고도가 낮아지면 낮의 길이는 ☐☐집니다.

보기
• 길어   • 짧아
• 같아   • 여름
• 가을   • 겨울

개념 확인하기

○ 정답과 풀이 5쪽

1 다음 여름 점심과 겨울 점심에 햇빛이 교실 안까지 들어오는 정도를 줄로 바르게 이으시오.

(1)

▲ 여름 점심

(2)

▲ 겨울 점심

· ㉠ 햇빛이 교실 안까지 많이 들어옴.

· ㉡ 햇빛이 교실 안까지 많이 들어오지 않음.

[2~3] 다음은 계절별 태양의 위치 변화 모습입니다. 물음에 답하시오.

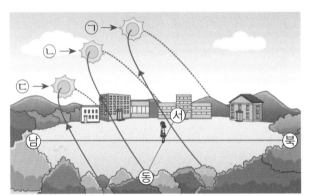

2 위에서 겨울에 관찰할 수 있는 태양의 위치 변화 모습으로 옳은 것을 골라 기호를 쓰시오.

( )

3 다음은 위 그림을 표로 정리한 것입니다. ㈎, ㈏에 들어갈 알맞은 말을 각각 쓰시오.

계절	㈎	봄, 가을	㈏
태양의 남중 고도	가장 높음.	중간 정도임.	가장 낮음.

㈎ ( ) ㈏ ( )

계절별 태양의 남중 고도와 낮의 길이

4 다음은 태양의 남중 고도를 나타낸 그래프입니다. 태양의 남중 고도가 가장 낮은 때는 언제입니까? (　　　)

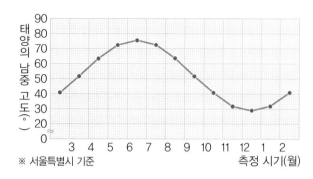

※ 서울특별시 기준

① 3~4월 　　　　　② 6~7월 　　　　　③ 8~9월
④ 10~11월 　　　　⑤ 12~1월

5 다음 중 태양의 남중 고도와 낮의 길이에 대한 설명으로 옳은 것을 두 가지 고르시오.

(　　　,　　　)

① 여름에는 태양의 남중 고도가 높고 낮의 길이가 길다.
② 여름에는 태양의 남중 고도가 낮고 낮의 길이가 짧다.
③ 겨울에는 태양의 남중 고도가 높고 낮의 길이가 길다.
④ 겨울에는 태양의 남중 고도가 낮고 낮의 길이가 짧다.
⑤ 태양의 남중 고도와 낮의 길이는 계절별 기온에 영향을 주지 않는다.

똑똑한 하루 퀴즈

6 다음 □ 안에 들어갈 알맞은 낱말을 말 상자에서 찾아 모두 ○표를 하세요. 말 상자의 낱말은 가로, 세로, 대각선에 숨어 있어요.

봄	겨	☆	낮
☆	☆	울	의
여	가	☆	길
름	☆	을	이

❶ 태양의 남중 고도가 가장 높은 계절. □□
❷ 봄, □□의 태양의 남중 고도는 여름과 겨울의 중간 정도임.
❸ 낮의 길이가 가장 짧은 계절. □□
❹ 태양의 남중 고도가 높아지면 □□□□가 길어짐.

3일 계절에 따라 기온이 달라지는 까닭

 지구는 외계인이 활동하기에 알맞은 곳일까?

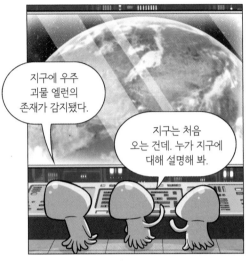

 용어 체크

계절별 기온

계절에 따라 태양의 남중 고도는 달라지고, 그에 따라 계절별 기온이 달라짐.

예 계절별 기온은 태양의 [　　　] 고도와 관련이 깊다.

▲ 여름 : 기온이 높음.　　▲ 겨울 : 기온이 낮음.

정답 ❶ 남중

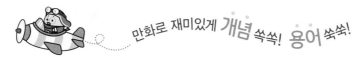

 ## 왜 여름에는 덥고, 겨울에는 추울까?

우리는 지구의 태양에 약하다. 높은 온도를 막아주는 보호복을 만들어야 해.

먼저 알아야 할 것은 지구는 계절에 따라 기온이 달라진다는 점이야.

▲ 여름 : 태양의 남중 고도가 높음.

▲ 겨울 : 태양의 남중 고도가 낮음.

하필이면 이곳은 여름이네. 우리에겐 최악이야.

태양의 남중 고도가 높아지면 일정한 ♥**면적**의 지표면에 도달하는 ♥**태양 에너지**양이 많아져. 그래서 여름에는 기온이 높지.

계절에 따라 기온이 달라지는 것은 태양의 남중 고도가 달라지기 때문이군.

태양의 남중 고도에 맞춰 면적이 조절되어 태양 에너지를 줄이는 보호복!

……이면 좋겠지만. 돈이 없으니까 이 정도로 만들자.

우린 가난한 우주 해적.

 용어 체크

♥ **면적**

면이 공간을 차지하는 넓이의 크기

예 일정한 ❶ ☐ 에 도달하는 태양 에너지는 겨울보다 여름에 더 많다.

♥ **태양 에너지**

태양으로부터 나오는 모든 종류의 에너지

예 지구에 사는 대부분의 생물은 ❷ ☐ 에너지를 이용해 살아간다.

정답 ❶ 면적 ❷ 태양

실험 동영상

1 태양의 남중 고도에 따라 기온은 어떻게 변할까?

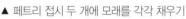
▲ 페트리 접시 두 개에 모래를 각각 채우기

다르게 해야 할 조건은 전등과 모래가 이루는 각이야.

같게 해야 할 조건은 전등과 모래 사이의 거리, 전등을 켠 시간, 모래의 양과 종류, 페트리 접시의 크기 등이 있어.

전등
전등과 모래가 이루는 각
모래
▲ 전등과 모래가 이루는 각을 크게 하여 전등을 설치하고, 모래의 온도 재기

▲ 전등과 모래가 이루는 각을 작게 하여 전등을 설치하고, 모래의 온도 재기

전등은 태양, 모래는 지표면, 전등과 모래가 이루는 각은 태양의 남중 고도를 의미해.

전등을 동시에 켜고, 3~5분이 지난 뒤 모래의 온도 측정하기

좁은 면적을 비추기 때문에 일정한 면적에 도달하는 에너지 양이 많아요.

넓은 면적을 비추기 때문에 일정한 면적에 도달하는 에너지 양이 적어요.

전등과 모래가 이루는 각이 클 때 모래의 온도가 더 많이 올라갔음. 태양의 남중 고도가 높을수록 기온이 높아져요.

☑ 태양의 남중 고도가 높을수록 기온이 ❶(낮아 / 높아)집니다.

2 계절에 따라 기온이 달라지는 까닭은 무엇일까?

🌐 여름과 겨울의 태양의 남중 고도

여름

태양의 남중 고도가
높음.

겨울

태양의 남중 고도가
낮음.

계절별 기온은
태양의 남중 고도와
관련이 깊어.

🌐 태양의 남중 고도와 기온

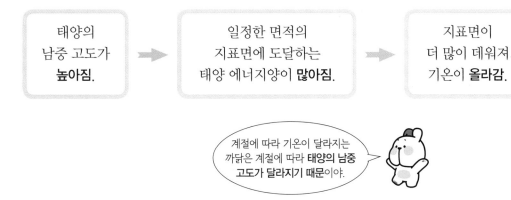

| 태양의 남중 고도가 **높아짐**. | → | 일정한 면적의 지표면에 도달하는 태양 에너지양이 **많아짐**. | → | 지표면이 더 많이 데워져 기온이 **올라감**. |

계절에 따라 기온이 달라지는
까닭은 계절에 따라 **태양의 남중
고도가 달라지기 때문**이야.

☑️ 계절에 따라 기온이 달라지는 까닭은 계절에 따라 태양의 ❷(크기 / 남중 고도)가 달라지기 때문입니다.

정답 ❶ 높아 ❷ 남중 고도

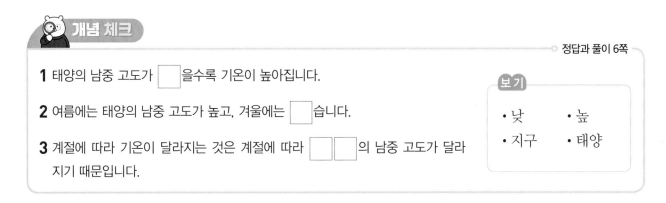

개념 체크

○ 정답과 풀이 6쪽

1 태양의 남중 고도가 ☐을수록 기온이 높아집니다.

2 여름에는 태양의 남중 고도가 높고, 겨울에는 ☐습니다.

3 계절에 따라 기온이 달라지는 것은 계절에 따라 ☐☐의 남중 고도가 달라지기 때문입니다.

보기
• 낮   • 높
• 지구   • 태양

[1~3] 다음은 태양의 남중 고도에 따른 기온 변화를 알아보는 실험의 모습입니다. 물음에 답하시오.

(가)

▲ 전등과 모래가 이루는 각이 클 때

(나)
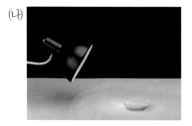
▲ 전등과 모래가 이루는 각이 작을 때

1 다음 중 위 실험에서 다르게 해야 할 조건으로 옳은 것은 어느 것입니까? (   )

① 전등을 켠 시간
② 모래의 양과 종류
③ 페트리 접시의 크기
④ 전등과 모래가 이루는 각
⑤ 전등과 모래 사이의 거리

2 위 실험에서 전등, 모래, 전등과 모래가 이루는 각은 무엇을 의미하는지 줄로 바르게 이으시오.

(1) | 모래 | •   • ㉠ | 태양 |

(2) | 전등 | •   • ㉡ | 지표면 |

(3) | 전등과 모래가 이루는 각 | •   • ㉢ | 태양의 남중 고도 |

3 다음은 위 실험의 결과입니다. ☐ 안에 들어갈 알맞은 말을 쓰시오.

전등과 모래가 이루는 각이 ☐ 때 모래의 온도가 더 많이 올라갑니다.

(   )

계절에 따라 기온이 달라지는 까닭

4 다음 보기에서 기온과 태양의 남중 고도와의 관계에 대한 설명으로 옳은 것을 골라 기호를 쓰시오.

> **보기**
> ㉠ 태양의 남중 고도가 낮을수록 기온이 높아집니다.
> ㉡ 태양의 남중 고도가 높을수록 기온이 높아집니다.
> ㉢ 계절별 기온은 태양의 남중 고도와 관련이 없습니다.

(   )

 **집중 연습 문제**   계절에 따라 기온이 달라지는 까닭

5 다음 중 태양의 남중 고도가 더 높은 계절의 기호를 쓰시오.

㉠
▲ 여름

㉡
▲ 겨울

(   )

태양이 남쪽 하늘에 더 높이 떠 있는 계절은 언제일까?

6 다음은 태양의 남중 고도에 대한 설명입니다. ㉠, ㉡에 들어갈 알맞은 말을 바르게 짝지은 것은 어느 것입니까? (   )

> 태양의 남중 고도가 높을 때 기온이 ㉠ 까닭은 태양의 남중 고도가 높아지면 일정한 면적의 지표면에 도달하는 ㉡ 에너지양이 많아지기 때문입니다.

	㉠	㉡		㉠	㉡
①	낮은	지구	②	낮은	태양
③	높은	달	④	높은	지구
⑤	높은	태양			

 지표면에 도달하는 태양 에너지양이 많아지면 어떻게 될지 생각해 봐.

태양 에너지양 많아짐. ➡ 지표면이 (많이 / 적게) 데워짐. ➡ 기온이 (높아 / 낮아)짐.

4^일 계절의 변화가 생기는 까닭

 들켜버린 외계인의 약점!

어떻게 알았는지 우주 해적이 장고와 협상을 시도했다.

우주 괴물을 맡고 있다는 것을 알고 있다. 당장 우리에게 넘겨!

싫다면?

지구의 ◉자전축은 ◉공전 궤도면에 대해 기울어져 있지? 만약 우리가 자전축을 바꾸면 어떻게 될까?

그럼 어떻게 되는데요?

지구의 자전축이 공전 궤도면에 대해 기울어진 채 공전하니까 태양의 남중 고도가 달라지는 거야.

그럼 자전축이 수직인 채 공전하면 태양의 남중 고도는 변화가 없잖아요.

지구 전체에 문제가 생길 거야!

응?

ㅋㅋㅋ

지구 자전축을 움직이려면 엄청나게 많은 돈이 들거든? 너희들 돈은 있어?

들켰다!

🐻 **용어 체크**

📍 **자전축**

지구 자전의 중심이 되는 지구의 북극과 남극을 이은 가상의 직선

예 지구의 [❶   ]은 항상 같은 방향으로 기울어져 있다.

📍 **공전 궤도면**

지구가 공전할 때 운동하는 일정한 길을 이루는 평면 ⌇→궤도

예 지구는 공전 궤도면을 따라 [❷   ]의 주위를 공전한다.

정답 ❶ 자전축 ❷ 태양

2
주

 지구를 구한 우주 탐정 장고!

 용어 체크

◉ 북반구

적도를 경계로 지구를 둘로 나누었을 때의 북쪽 부분

예 우리나라는 지구의 ❶[   ]에 위치해 있다.

◉ 앙부일구

조선 시대에 만들어진 오목한 모양의 해시계

예 앙부일구를 이용하여 ❷[   ]과 계절을 알 수 있다.

정답 ❶ 북반구 ❷ 예 시간

1 자전축의 기울기에 따른 태양의 남중 고도를 알아볼까?

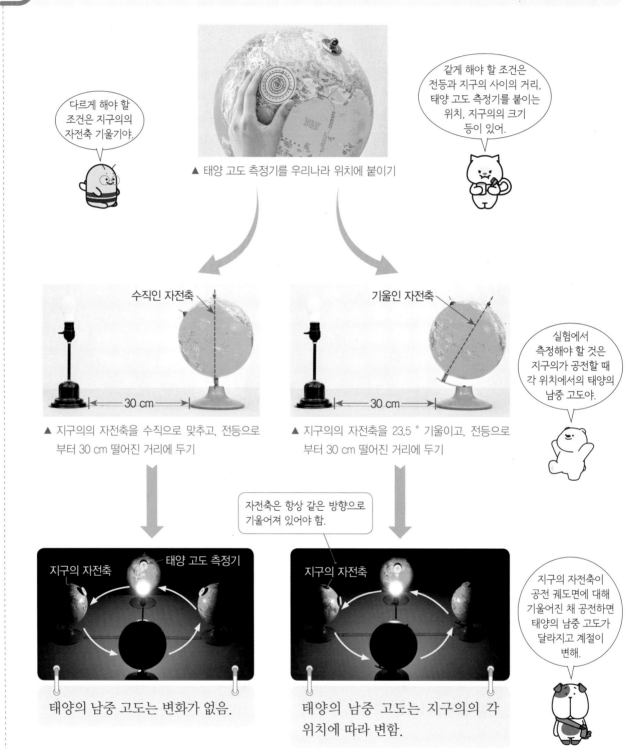

다르게 해야 할 조건은 지구의의 자전축 기울기야.

같게 해야 할 조건은 전등과 지구의 사이의 거리, 태양 고도 측정기를 붙이는 위치, 지구의의 크기 등이 있어.

▲ 태양 고도 측정기를 우리나라 위치에 붙이기

수직인 자전축

기울인 자전축

30 cm

30 cm

실험에서 측정해야 할 것은 지구의가 공전할 때 각 위치에서의 태양의 남중 고도야.

▲ 지구의의 자전축을 수직으로 맞추고, 전등으로 부터 30 cm 떨어진 거리에 두기

▲ 지구의의 자전축을 23.5° 기울이고, 전등으로 부터 30 cm 떨어진 거리에 두기

자전축은 항상 같은 방향으로 기울어져 있어야 함.

지구의 자전축   태양 고도 측정기

지구의 자전축

지구의 자전축이 공전 궤도면에 대해 기울어진 채 공전하면 태양의 남중 고도가 달라지고 계절이 변해.

태양의 남중 고도는 변화가 없음.

태양의 남중 고도는 지구의의 각 위치에 따라 변함.

☑ 지구의 자전축이 공전 궤도면에 대해 ❶(수직인 / 기울어진) 채 공전하면 태양의 남중 고도가 달라지고 계절이 변합니다.

2 계절이 변하는 까닭은 무엇일까?

🌐 계절이 변하는 까닭

여름에 북반구에서는 태양의 남중 고도가 높음.

겨울에 북반구에서는 태양의 남중 고도가 낮음.

북반구가 여름일 때 남반구는 겨울, 북반구가 겨울일 때 남반구는 여름이야.

> **계절이 변하는 까닭**
>
> **지구의 자전축**이 공전 궤도면에 대해 **기울어진 채** 태양 주위를 **공전**하기 때문에 계절이 변함.

🌐 앙부일구

앙부일구는 '모양이 가마솥처럼 오목하게 생긴 해시계' 라는 뜻이야.

우리 조상들이 시간과 계절을 알기 위해 만든 천문 기기야.

✔️ 지구의 자전축이 기울어진 채 태양 주위를 ❷(공전 / 자전)하기 때문에 계절이 달라집니다.

정답 ❶ 기울어진 ❷ 공전

🐻 **개념 체크**

◇ 정답과 풀이 6쪽

1 지구의 자전축이 [ ][ ]인 채 공전하면 태양의 남중 고도는 변하지 않습니다.

2 지구의 자전축은 항상 [ ][ ] 방향으로 기울어져 있습니다.

3 지구의 자전축이 기울어진 채 공전하기 때문에 [ ][ ]이/가 변합니다.

보기
- 계절
- 요일
- 수직
- 날짜
- 같은
- 다른

[1~3] 다음은 계절이 변하는 원인을 알아보는 실험입니다. 물음에 답하시오.

▲ 자전축이 수직인 채 공전할 때

▲ 자전축이 기울어진 채 공전할 때

1 위 실험에서 같게 해야 할 조건과 다르게 해야 할 조건을 다음 **보기**에서 골라 각각 기호를 쓰시오.

보기
㉠ 지구의의 크기
㉡ 지구의의 자전축 기울기
㉢ 전등과 지구의 사이의 거리
㉣ 태양 고도 측정기를 붙이는 위치

(1) 같게 해야 할 조건 : (   )

(2) 다르게 해야 할 조건 : (   )

2 다음은 위 실험에 대한 결과의 일부분입니다. 자전축이 수직인 채 공전할 때와 자전축이 기울어진 채 공전할 때 중 어느 실험의 결과인지 쓰시오.

지구의의 위치	㈎	㈏	㈐	㈑
태양의 남중 고도	52°	52°	52°	52°
실험 결과	태양의 남중 고도는 변화가 없음.			

자전축이 (   ) 공전할 때

3 다음은 위 실험을 통해 알게 된 점입니다. ☐ 안에 들어갈 알맞은 말을 쓰시오.

지구의 자전축이 공전 궤도면에 대해 기울어진 채 공전하면 ☐☐☐이/가 달라지고 계절이 변합니다.

(   )

4 다음은 태양을 중심으로 지구의 위치를 6개월 간격으로 나타낸 것입니다. 지구가 ㉠, ㉡의 위치일 때 북반구의 계절을 각각 쓰시오.

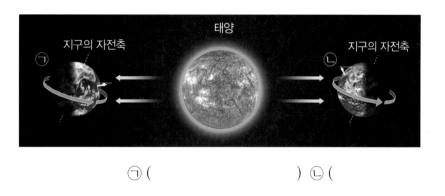

㉠ (   )   ㉡ (   )

5 다음 중 계절이 변하는 까닭으로 옳은 것은 어느 것입니까? (   )

① 지구가 달 주위를 공전하기 때문이다.
② 지구의 자전축이 기울어지지 않은 채 자전하기 때문이다.
③ 지구의 자전축이 기울어지지 않은 채 태양 주위를 공전하기 때문이다.
④ 지구의 자전축이 공전 궤도면에 대해 기울어진 채 달 주위를 공전하기 때문이다.
⑤ 지구의 자전축이 공전 궤도면에 대해 기울어진 채 태양 주위를 공전하기 때문이다.

똑똑한 하루 퀴즈

6 다음 □ 안에 들어갈 알맞은 낱말을 말 상자에서 찾아 모두 ○표를 하세요. 말 상자의 낱말은 가로, 세로, 대각선에 숨어 있어요.

겨	여	♠	♠
♠	울	름	자
계	공	전	전
♠	절	기	축

❶ 지구 자전의 중심이 되는 가상의 직선
❷ 자전축이 수직인 채 태양 주위를 □□하면 태양의 남중 고도는 변하지 않음.
❸ □□에 북반구에서는 태양의 남중 고도가 높음.
❹ 지구의 자전축이 기울어진 채 공전하기 때문에 □□이 변함.

1 하루 동안 태양 고도, 그림자 길이, 기온의 관계

태양 고도가 가장 높은 때와 기온이 가장 높은 때는 차이가 나.

① **태양 고도** : 태양이 지표면과 이루는 각
② **태양의 남중 고도** : 태양이 정남쪽에 위치했을 때의 고도로, 이때 태양 고도는 하루 중 가장 높습니다.
③ 태양 고도가 높아지면 그림자 길이가 짧아지고, 기온은 높아집니다.

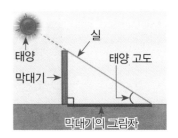

2 계절별 태양의 남중 고도와 낮의 길이

① **계절별 태양의 위치 변화** : 태양의 남중 고도는 여름에 가장 높고, 겨울에 가장 낮습니다.

② **계절에 따른 태양의 남중 고도와 낮의 길이**

태양의 남중 고도는 6~7월에 가장 높고, 12~1월에 가장 낮아.

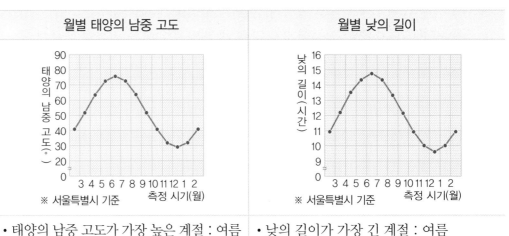

월별 태양의 남중 고도	월별 낮의 길이
• 태양의 남중 고도가 가장 높은 계절 : 여름	• 낮의 길이가 가장 긴 계절 : 여름
• 태양의 남중 고도가 가장 낮은 계절 : 겨울	• 낮의 길이가 가장 짧은 계절 : 겨울

3 계절에 따라 기온이 달라지는 까닭

① **태양의 남중 고도에 따른 기온의 변화** : 태양의 남중 고도가 높을수록 기온이 높아집니다.
② **태양의 남중 고도가 높을 때 기온이 높은 까닭** : 태양의 남중 고도가 높아지면 일정한 면적의 지표면에 도달하는 태양 에너지양이 많아지기 때문입니다.

③ **여름과 겨울의 태양의 남중 고도**

여름에는 태양의 남중 고도가 높아.

겨울에는 태양의 남중 고도가 낮아.

태양의 남중 고도가 높아지면 일정한 면적의 지표면에 도달하는 태양 에너지양이 많아져.

④ **계절에 따라 기온이 달라지는 까닭** : 계절에 따라 태양의 남중 고도가 달라지기 때문입니다.

4 계절의 변화가 생기는 까닭

① **자전축의 기울기에 따른 태양의 남중 고도**

지구의 자전축이 수직인 채 공전할 때	태양의 남중 고도는 변화가 없음.
지구의 자전축이 기울어진 채 공전할 때	태양의 남중 고도는 지구의 각 위치에 따라 변함.

② **계절이 변하는 까닭** : 지구의 자전축이 공전 궤도면에 대해 기울어진 채 태양 주위를 공전하기 때문입니다.

Talk Talk

📱 📍 🛜 .ıll 100%

자, 퀴즈!
여름에 북반구에서는 태양의 남중 고도가 높을까, 낮을까?

너무 쉽잖아. 당연히 높지.
북반구에서 태양의 남중 고도가 높으면 북반구는 여름이 되는 거잖아.

그런데 북반구랑 남반구는 계절이 같아?

아니. 계절이 반대로 나타나.
북반구가 겨울일 때는 남반구는 여름이 되고, 북반구가 여름일 때 남반구는 겨울이 돼.

1일 하루 동안 태양 고도, 그림자 길이, 기온의 관계

[1~2] 오른쪽은 태양 고도를 측정하는 방법입니다. 물음에 답하시오.

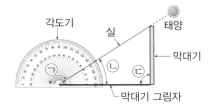

1 다음은 위와 같이 태양 고도를 측정하는 방법입니다. ☐ 안에 들어갈 알맞은 말을 쓰시오.

실을 연결한 막대기를 지표면에 ☐ 으로 세우고 그림자 끝과 막대기의 실이 이루는 각을 측정합니다.

(   )

2 위에서 ㉠~㉢ 중 태양 고도인 것을 골라 기호를 쓰시오.

(   )

3 오른쪽은 하루 동안 태양 고도, 그림자 길이, 기온의 그래프입니다. ㉠, ㉡은 어느 것인지 각각 쓰시오.

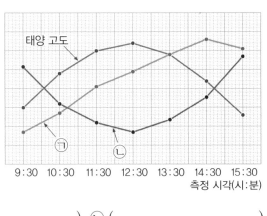

㉠ (   ) ㉡ (   )

4 다음은 하루 동안 태양 고도, 그림자 길이, 기온의 관계에 대한 설명입니다. ( ) 안의 알맞은 말에 각각 ○표를 하시오.

태양 고도가 높아지면 그림자 길이가 (길어 / 짧아)지고, 기온은 (낮아 / 높아) 집니다.

● 정답과 풀이 7쪽

2일 계절별 태양의 남중 고도와 낮의 길이

5 오른쪽은 계절별 태양의 위치 변화 모습입니다. 태양의 남중 고도가 가장 높은 계절의 기호와 이름을 옳게 짝지은 것은 어느 것입니까? (   )

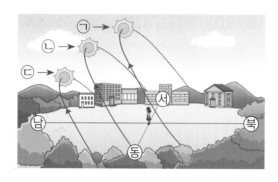

① ㉠, 겨울

② ㉠, 여름

③ ㉡, 겨울

④ ㉢, 봄, 가을

⑤ ㉢, 겨울

6 오른쪽은 계절별 태양의 남중 고도 그래프입니다. ㉠, ㉡ 중 여름에 해당하는 것의 기호를 쓰시오.

(   )

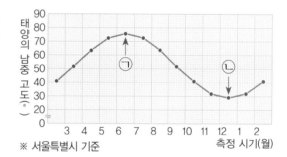

※ 서울특별시 기준

서술형

7 다음은 월별 태양의 남중 고도와 월별 낮의 길이를 나타낸 그래프입니다. 이를 통해 알 수 있는 점을 쓰시오.

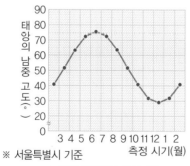

※ 서울특별시 기준

▲ 월별 태양의 남중 고도

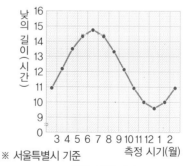

※ 서울특별시 기준

▲ 월별 낮의 길이

3일 계절에 따라 기온이 달라지는 까닭

[8~10] 다음은 태양의 남중 고도에 따른 기온 변화에 대한 실험입니다. 물음에 답하시오.

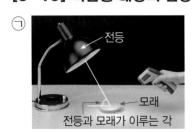

▲ 전등과 모래가 이루는 각이 클 때

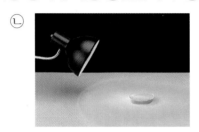

▲ 전등과 모래가 이루는 각이 작을 때

8 위 실험에서 전등과 모래가 이루는 각이 자연에서 의미하는 것은 무엇입니까? ( )

① 산의 높이   ② 바다의 깊이
③ 태양의 무게   ④ 지표면의 넓이
⑤ 태양의 남중 고도

9 위 실험에서 일정한 면적에 도달하는 에너지양이 더 많은 것을 골라 기호를 쓰시오.

( )

10 위 실험의 결과 전등과 모래가 이루는 각에 따라 모래의 온도 변화 정도를 >, <를 이용하여 비교하시오.

전등과 모래가
이루는 각이 클 때   전등과 모래가
이루는 각이 작을 때

11 다음은 태양의 남중 고도와 기온의 관계에 대한 설명입니다. 옳은 것에는 ○표, 옳지 <u>않은</u> 것에는 ×표를 하시오.

(1) 계절별 기온은 태양의 남중 고도와 관련이 깊습니다. ( )

(2) 지표면에 도달하는 태양 에너지양이 많아지면 기온이 낮아집니다. ( )

(3) 태양의 남중 고도가 높아지면 일정한 면적의 지표면에 도달하는 태양 에너지양이 적어집니다. ( )

12 다음 지구 자전축의 기울기에 따른 태양의 남중 고도 변화를 줄로 바르게 이으시오.

(1) 지구의 자전축이 수직인 채 공전할 경우 •

(2) 지구의 자전축이 기울어진 채 공전할 경우 •

• ㉠ 태양의 남중 고도가 달라짐.

• ㉡ 태양의 남중 고도는 변하지 않음.

13 다음과 같이 지구가 ㉠, ㉡에 있을 때 사람이 있는 곳(북반구)에서의 태양의 남중 고도가 높은 곳과 낮은 곳을 각각 쓰시오.

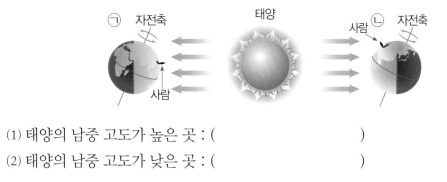

㉠ 자전축   태양   사람   ㉡ 자전축

사람

(1) 태양의 남중 고도가 높은 곳 : (   )
(2) 태양의 남중 고도가 낮은 곳 : (   )

똑똑한 하루 퀴즈

14 다음 십자말풀이를 해 보세요.

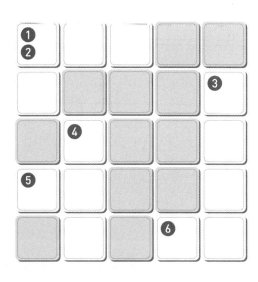

➡가로

❶ □□□의 계절은 북반구의 계절과 반대임.
❺ 지구는 태양 주위를 □□함.
❻ 지구의 자전축은 공전 □□면에 대해 기울어져 있음.

⬇세로

❷ 태양이 정남쪽에 위치하면 태양이 □□했다고 함.
❸ 태양이 지표면과 이루는 각
❹ 지구 자전의 중심이 되는 가상의 직선

1 다음과 같이 태양 고도를 측정할 때, 태양 고도는 얼마인지 쓰시오.

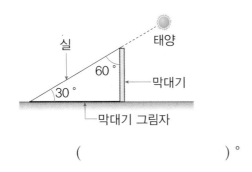

( ) °

2 다음은 태양 고도에 대한 설명입니다. ( ) 안의 알맞은 말에 ○표를 하시오.

> 태양이 지표면과 이루는 각을 태양 고도라고 하는데, 하루 중 태양이 정남쪽에 위치하면 태양이 (남중 / 북중)했다고 합니다.

3 다음 그림자 길이, 기온에 대한 설명에서 □ 안에 공통으로 들어갈 알맞은 말을 쓰시오.

> - □이/가 높아지면 기온도 높아집니다.
> - □이/가 높아지면 그림자 길이가 짧아집니다.

( )

4 다음은 계절별 태양의 남중 고도를 나타낸 그래프입니다. 태양의 남중 고도가 가장 높은 때와 가장 낮은 때의 기호를 각각 쓰시오.

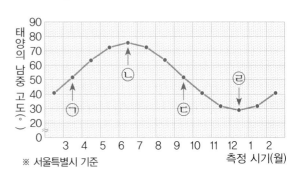

※ 서울특별시 기준

(1) 태양의 남중 고도가 가장 높은 때 :
( )

(2) 태양의 남중 고도가 가장 낮은 때 :
( )

5 다음은 계절별 낮의 길이를 나타낸 그래프입니다. 낮의 길이가 가장 긴 때는 언제입니까?
( )

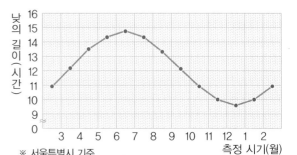

※ 서울특별시 기준

① 1~2월 　　　　② 3~4월
③ 6~7월 　　　　④ 9~10월
⑤ 12~1월

[6~7] 다음은 태양의 남중 고도에 따른 기온 변화를 알아보는 실험의 모습입니다. 물음에 답하시오.

▲ 전등과 모래가 이루는 각이 클 때

▲ 전등과 모래가 이루는 각이 작을 때

6 위 실험에서 전등과 모래가 이루는 각이 의미하는 것은 무엇인지 쓰시오.

( )

7 다음 중 위 실험에 대한 설명으로 옳지 <u>않은</u> 것은 어느 것입니까? ( )

① ㉠은 모래의 온도가 변하지 않는다.
② 모래의 종류와 양은 같게 해야 한다.
③ 모래의 온도 변화가 더 작은 것은 ㉡이다.
④ 전등과 모래가 이루는 각이 큰 것은 ㉠이다.
⑤ 전등과 모래가 이루는 각이 클 때 모래의 온도가 더 많이 올라간다.

8 다음은 계절에 따라 기온이 달라지는 까닭에 대한 설명입니다. ( ) 안의 알맞은 말에 ○표를 하시오.

> 계절에 따라 기온이 달라지는 까닭은 계절에 따라 태양의 (질량 / 남중 고도)이/가 달라지기 때문입니다.

9 다음과 같이 지구의 자전축을 기울인 채 공전시킬 때 지구에서 나타나는 현상으로 옳은 것은 어느 것입니까? ( )

① 밤만 계속된다.
② 낮만 계속된다.
③ 계절의 변화가 나타나지 않는다.
④ 낮과 밤이 하루에 두 번씩 나타난다.
⑤ 계절에 따라 태양의 남중 고도가 달라진다.

10 다음은 태양을 중심으로 공전하는 지구의 위치를 6개월 간격으로 나타낸 모습입니다. 우리나라(북반구)가 ㉠ 위치에서 여름이라면, ㉡ 위치에서의 계절은 언제입니까?

( )

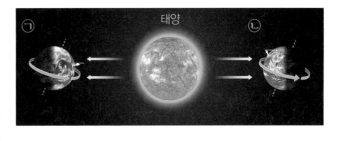

① 봄
② 초여름
③ 초가을
④ 가을
⑤ 겨울

2주특강

생활 속 과학

태양의 남중 고도에 따른 계절별 특징에 대해 알아봅니다.

태양의 남중 고도와 우리 생활

아 따뜻해.

여름보다 햇빛이 거실 안쪽으로 많이 들어와서 그래.

여름에는 안 그랬었나?

여름에는 태양의 남중 고도가 높아서 햇빛이 적게 들어와.

태양의 남중 고도가 뭔데?

태양이 남중했을 때의 고도야.

어떻게 측정하는데?

막대기랑 실, 각도기만 있으면 알 수 있어.

그래? 그럼 지금 측정하러 나가보자.

그래.

하루 상식

★★★☆☆

태양 고도는 무엇이며, 어떻게 측정할 수 있을까?

　하루 동안 태양의 높이는 달라집니다. 아침에 지표면 근처에 있던 태양이 점심에는 남쪽 하늘 높은 곳에 있습니다. 태양의 높이는 태양 고도를 이용하여 나타낼 수 있습니다. 태양 고도는 태양이 지표면과 이루는 각으로 나타냅니다.

　태양 고도를 측정할 때는 먼저 실을 막대기의 한쪽 끝에 연결합니다. 그런 뒤 막대기를 지표면에 수직으로 세우고, 실을 그림자의 끝에 맞춘 다음 그림자와 실이 이루는 각을 측정하면 됩니다. 여기서 측정한 각이 바로 태양 고도입니다.

1 태양의 남중 고도와 낮의 길이에 대한 설명에 맞게 빠진 부분의 퍼즐을 맞춰 보세요.

❶ 낮의 길이가 가장 긴 절기

❷ 태양의 남중 고도가 가장 낮은 계절

❸ 태양의 남중 고도가 가장 높은 계절

❹ 낮의 길이가 가장 짧은 절기

▶ 절기 : 한 해를 스물넷으로 나눈, 계절의 표준이 되는 것. 입춘, 경칩 등이 있음.

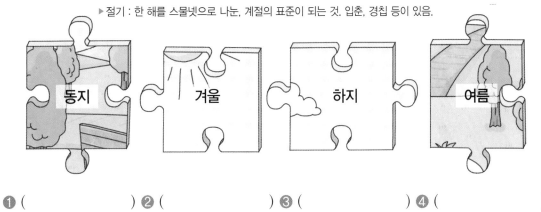

동지   겨울   하지   여름

❶ (   ) ❷ (   ) ❸ (   ) ❹ (   )

사고 쑥쑥

태양의 남중 고도와 태양 에너지양의 관계에 대해 알아봅니다.

2 다음 만화를 읽고, 태양의 남중 고도가 높고 낮음에 따라 내용이 옳은 것끼리 줄로 바르게 이어 보세요.

(1) 태양의 남중 고도가 낮음. · · ㉠  · · (가) 일정한 면적의 지표면에 도달하는 태양 에너지양이 많음.

(2) 태양의 남중 고도가 높음. · · ㉡ 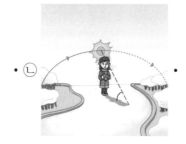 · · (나) 일정한 면적의 지표면에 도달하는 태양 에너지양이 적음.

계절 변화 원인을 알아보는 탐구를 통해 계절이 변하는 까닭에 대해 알아봅니다.

3 다음은 윤미가 계절의 변화가 생기는 까닭에 대해 탐구를 계획하여 정리한 것이에요. ❶~❸에 들어갈 알맞은 말을 각각 쓰세요.

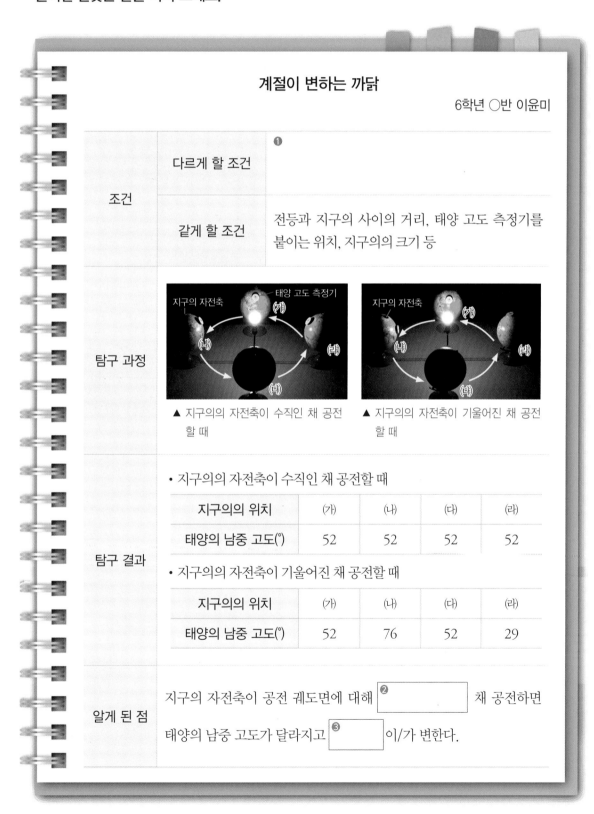

계절이 변하는 까닭

6학년 ○반 이윤미

조건		
	다르게 할 조건	❶
	같게 할 조건	전등과 지구의 사이의 거리, 태양 고도 측정기를 붙이는 위치, 지구의의 크기 등

탐구 과정

▲ 지구의의 자전축이 수직인 채 공전할 때

▲ 지구의의 자전축이 기울어진 채 공전할 때

탐구 결과

• 지구의의 자전축이 수직인 채 공전할 때

지구의의 위치	㈎	㈏	㈐	㈑
태양의 남중 고도(°)	52	52	52	52

• 지구의의 자전축이 기울어진 채 공전할 때

지구의의 위치	㈎	㈏	㈐	㈑
태양의 남중 고도(°)	52	76	52	29

알게 된 점

지구의 자전축이 공전 궤도면에 대해 ❷ [   ] 채 공전하면
태양의 남중 고도가 달라지고 ❸ [   ] 이/가 변한다.

논리 탄탄

길을 따라 가면서 태양 고도, 그림자 길이, 기온의 관계에 대해 알아봅니다.

4 다음에서 길을 따라 가면서 칸을 지날 때마다 내용이 옳은 것에는 더하기 2, 옳지 <u>않은</u> 것에는 빼기 1을 하여 도착했을 때 나오는 숫자를 계산하여 쓰세요.

길을 따라 문제를 풀면서 계절의 변화에 대해 알아봅니다.

5 다음 질문에 대한 알맞은 대답을 찾아 화살표로 가는 길을 표시해 보세요.

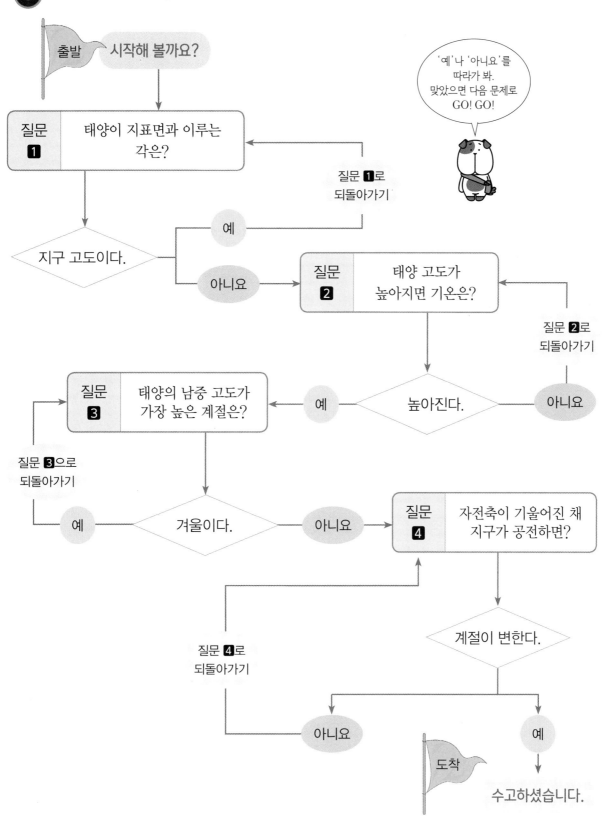

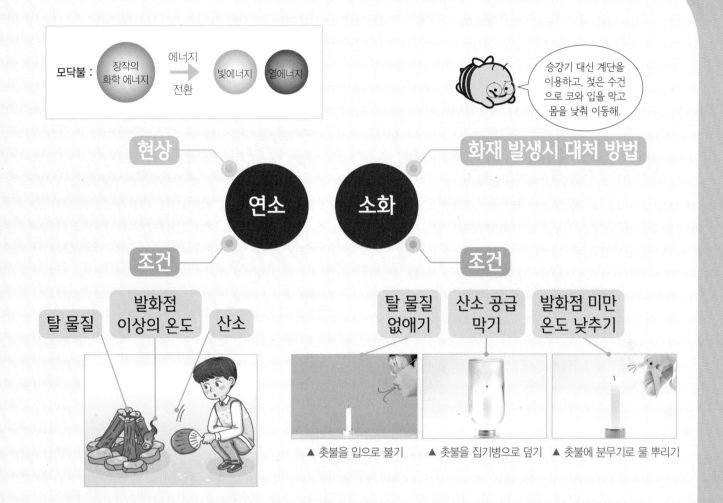

모닥불 : 장작의 화학 에너지 → 에너지 전환 → 빛에너지 열에너지

승강기 대신 계단을 이용하고, 젖은 수건으로 코와 입을 막고 몸을 낮춰 이동해.

현상 ── 연소 ── 조건

화재 발생시 대처 방법 ── 소화 ── 조건

탈 물질 / 발화점 이상의 온도 / 산소

▲ 촛불을 입으로 불기

탈 물질 없애기 / 산소 공급 막기 / 발화점 미만 온도 낮추기

▲ 촛불을 집기병으로 덮기   ▲ 촛불에 분무기로 물 뿌리기

물질이 탈 때 나타나는 현상과 생기는 물질을 알고 연소의 조건 및 소화 방법 등을 꼭 기억해!

산소

도와 주자.

酸　素
실 **산**　본디 **소**

뜻 다른 물질이 타는 것을 도우며, 숨을 쉬는 데 이용되는 색깔과 냄새가 없는 기체

예 공기는 **산소** 등 여러 가지 기체로 구성되어 있어요.

발화점

마찰시키면 불이 붙어.

發　火　點
필 **발**　불 **화**　점 **점**

뜻 어떤 물질이 불에 직접 닿지 않아도 타기 시작하는 온도

예 물질마다 발화점이 다른데 **발화점**이 낮은 물질일수록 불이 쉽게 붙어요.

연소

가스가 연소되고 있어.

燃　燒
탈 **연**　불사를 **소**

뜻 물질이 산소와 빠르게 반응하여 빛과 열을 내는 현상

예 이 물질이 잘 **연소**될 때 파란 불꽃이 일어나요.

소화

소화전의 '전'은 마개라는 뜻이야.

消　火
사라질 **소**　불 **화**

뜻 연소의 조건인 탈 물질, 산소, 발화점 이상의 온도 중 한 가지 이상의 조건을 없애 불을 끄는 것

예 소방관들이 **소화**전의 쇠뚜껑을 열고 호스를 연결하여 물을 뿌려 불을 껐어요.

연소와 소화와 관련된 용어가 있어. 특히 연소, 발화점, 소화 등의 용어와 개념은 꼭 기억해.

3주

푸른색 염화 코발트 종이

붉게 변해.

물

뜻 염화 코발트 용액을 종이에 흡수시켜 말려 놓은 것. 물에 닿으면 붉게 변함.

예 푸른색 염화 코발트 종이가 붉게 변한 것으로 물이 생긴 것을 알 수 있어요.

석회수

石 灰 水
돌 **석** 재 **회** 물 **수**

뿌옇게 돼.

뜻 수산화 칼슘을 물에 녹인 무색투명한 액체. 이산화 탄소와 만나면 뿌옇게 흐려짐.

예 이산화 탄소를 모은 병에 **석회수**를 부었더니 뿌옇게 흐려졌어요.

에너지

energy

에너지를 얻어야지.

뜻 기계를 움직이거나 생물이 활동하는 근원이 되는 힘

예 사람은 음식을 먹어 음식물이 가진 화학 **에너지**를 얻어요.

탈 물질을 많이 공급하자.

나무가 연소하려면 발화점 이상의 온도가 되어야 해.

이렇게 부채질을 해야 산소 공급이 원활하게 되어 잘 타게 돼.

연소의 조건 중 한 가지라도 없애면 불은 꺼지게 된다고.

1일 물질이 탈 때 나타나는 현상

🐶 **냉장고 전등 대신 초를 켠다고?**

🐻 **용어 체크**

📍 촛농

초가 탈 때에 초가 녹아서 흘러내리는 액체 또는 그 액체가 식어서 굳은 것

예 초가 탈 때 시간이 지날수록 초가 녹아 ❶ ☐ 이 흘러내린다.

📍 심지

등잔, 초, 램프 등에서 기름 등을 빨아올려 불이 붙도록 실이나 헝겊을 꼬아서 꽂은 것

예 초의 ❷ ☐ 에 불을 붙이면 심지를 타고 액체 상태로 녹은 초가 올라온다.

정답 ❶ 촛농 ❷ 심지

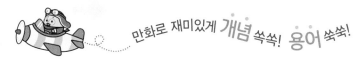
 ## 알코올이 타면서 빛과 열이 나

 용어 체크

열

뜨겁게 해 주는 것

예 물에 [❶]을 가하면
100 ℃에서 끓는다.

熱
더울
열

알코올

색깔이 없고 증발이 잘 되는 성질이
있으며 불에 타기 쉬운 액체

예 알코올램프는 [❷]을
태워 가열하는 도구이다.

← 알코올

▲ 알코올램프

정답 ❶ 열 ❷ 알코올

1 초가 탈 때 어떤 현상이 일어날까?

불꽃의 아랫부분이나 옆 부분보다 윗부분이 더 뜨거워.

불꽃

- 모양 : 위아래로 길쭉함.
- 색깔 : 노란색, 붉은색
- 밝기 : 윗부분은 밝고 아랫부분은 그보다 어두움.

심지와 심지 근처의 변화

- 심지 윗부분은 검은색, 아랫부분은 하얀색임.
- 심지 주변이 움푹 팸.

시간에 따라 변하는 모습

- 고체였던 초가 녹아 액체인 촛농으로 변함.
- 흘러내린 촛농이 굳어 고체가 됨.
- 초의 길이가 줄어듦.

3분 이상 관찰한 뒤 흘러내린 촛농까지 포함해서 무게를 측정해야 해.

초의 무게 변화

불을 붙이기 전보다 불을 끈 후 초의 무게가 줄었음.

- 초에 불을 붙이기 전 무게 : 81.6 g
- 촛불을 끈 후 무게 : 80.5 g

▲ 초가 타는 모습

심지에 불을 붙이면 고체인 초가 녹아 액체로 변해 심지를 타고 올라와 기체가 되어 타는 거야.

☑ 불꽃 주변이 ❶(밝고 / 어둡고) 따뜻해지며, 초가 녹아 액체가 되고 초의 길이가 줄어듭니다.

2 알코올이 탈 때 어떤 현상이 일어날까?

불꽃
- 모양 : 위아래로 길쭉함.
- 색깔 : 푸른색, 붉은색
- 밝기 : 불꽃 주변이 밝아짐.

심지와 심지 근처의 변화
심지 윗부분은 검은색, 아랫부분은 하얀색임.

시간에 따라 변하는 모습
알코올의 양이 줄어듦.

불꽃의 아랫부분이나 옆 부분보다 윗부분이 더 뜨거워.

▲ 알코올이 타는 모습

알코올램프의 무게 변화
불을 붙이기 전보다 불을 끈 후 알코올램프의 무게가 줄었음.

- 불을 붙이기 전 무게 : 107.9 g
- 불을 끈 후 무게 : 106.6 g

☑ 불꽃 주변이 밝고 ❷(따뜻해 / 차가워)지며, 알코올의 양이 줄어듭니다.

3 물질이 탈 때 어떤 현상이 일어날까?

불꽃 주변이 밝고 따뜻해.

빛과 **열**이 발생함. — 물질의 양이 변하기도 함.

무게가 변해.

☑ 물질이 탈 때에는 ❸(빛 / 열 / 촛농 / 알코올)이 나고, 물질의 양이 변하기도 합니다.

정답 ❶ 밝고 ❷ 따뜻해 ❸ 빛, 열

🐻 **개념 체크**

○ 정답과 풀이 9쪽

1 초가 탈 때 불꽃 주변이 밝아지고 불꽃의 ☐ 부분이 아랫부분보다 더 뜨겁습니다.

2 알코올램프에 불을 붙이면 시간이 지날수록 알코올의 양이 ☐☐☐ 니다.

3 초와 알코올이 탈 때 물질의 무게가 ☐☐☐ 니다.

보기
- 윗
- 옆
- 줄어듦
- 늘어남

3주

1일 개념 확인하기

○ 정답과 풀이 9쪽

[1~4] 오른쪽과 같이 초에 불을 붙이고 초가 타는 현상을 여러 가지 방법으로 관찰하였습니다. 물음에 답하시오.

1 다음 중 위의 초가 탈 때 불꽃을 관찰한 내용으로 옳지 <u>않은</u> 것은 어느 것입니까? ( )

① 불꽃 주변이 밝다.

② 불꽃 주변이 따뜻해진다.

③ 불꽃 모양은 위아래로 길쭉하다.

④ 불꽃 색깔은 노란색, 붉은색이다.

⑤ 불꽃의 윗부분보다 아랫부분이나 옆 부분이 더 뜨겁다.

2 위의 초가 탈 때 초가 녹아 흘러내리는 것을 무엇이라고 하는지 쓰시오.

( )

3 다음은 위의 초가 탈 때 시간이 지남에 따라 초가 변하는 모습입니다. ( ) 안의 알맞은 말에 ○표를 하시오.

⑴ 심지 주변 : (움푹 팹니다 / 볼록해집니다).

⑵ 초의 길이 : (짧아집니다 / 길어집니다).

4 위의 활동에서 불을 붙이기 전에 초의 무게를 측정하고, 3분 이상 관찰한 뒤 촛불을 끈 후 흘러내린 촛농까지 포함해서 초의 무게를 측정하였습니다. 초의 무게를 비교하여 ○ 안에 >, =, <를 쓰시오.

불을 붙이기 전 초의 무게 촛불을 끈 후 초의 무게

5 다음의 알코올이 타는 모습을 여러 가지 방법으로 관찰한 내용에 맞게 줄로 바르게 이으시오.

▲ 알코올이 타는 모습

(1) 불꽃 주변 •

(2) 알코올의 양 •

• ㉠ 밝다.

• ㉡ 어둡다.

• ㉢ 늘어난다.

• ㉣ 줄어든다.

• ㉤ 따뜻해진다.

• ㉥ 따뜻한 느낌이 없다.

6 다음 중 물질이 탈 때 공통적으로 나타나는 현상으로 옳은 것을 세 가지 고르시오.

(, ,)

① 빛이 난다.　　　② 촛농이 생긴다.　　　③ 아무 변화 없다.
④ 열이 발생한다.　　⑤ 물질의 양이 변하기도 한다.

똑똑한 하루 퀴즈

7 다음 □ 안에 들어갈 알맞은 낱말을 말 상자에서 찾아 모두 ○표를 하세요. 말 상자의 낱말은 가로, 세로, 대각선에 숨어 있어요.

알	램	🏠	초
코	프	촛	농
올	🏠	물	석
🏠	실	밥	유
열	심	지	🏠

❶ 초가 탈 때 초가 녹아서 □□이 흘러내림.
❷ 뜨겁게 해 주는 것. □
❸ 초, 알코올램프에 불을 붙이기 위해 꼬아서 꽂은 실이나 헝겊. □□
❹ 알코올램프의 연료로 색깔이 없고 증발이 잘 되는 성질이 있으며 불에 타기 쉬운 액체. □□□

2일 연소의 조건

🐰 물질이 더 잘 타도록 도와주는 기체가 있다고?

🐻 용어 체크

📍 산소

다른 물질이 타는 것을 도우며, 숨을 쉬는 데 이용되는 색깔과 냄새가 없는 기체

예 모닥불에 부채질을 하면 <u>①</u>가 잘 공급되어 잘 타게 된다.

📍 비율

어떤 수나 양의 다른 수나 양에 대한 비

예 우리 반에서 안경을 쓴 친구와 쓰지 않은 친구의 <u>②</u>은 6 : 4로 안경을 쓴 친구가 더 많다.

정답 ❶ 산소 ❷ 비율

성냥 없이 불을 피울 수 있을까?

캠핑의 기본은 불을 피우는 것이지! 불을 피워야 요리도 하고 밤에 따뜻하게 지낼 수 있어.

이렇게 나무를 비비면 **발화점**에 다다르게 돼서 물체에 직접 불을 붙이지 않아도 타기 시작해!

물질이 **연소**하려면 탈 물질, 산소, 발화점 이상의 온도가 필요하단다.

*주의 : 캠핑장에서 불은 허가받은 장소에서만 피워야 해요.

탐정님! 음식이 아니라 완전 숯이 됐는데요?

연소가 너무 잘 돼서 문제군.

힝~ 캠핑까지 와서 굶다니. 최악이야.

비상 수단을 사용할 수밖에.

비상 식량이다! 마음껏 골라!

와~, 만세!

🐻 **용어 체크**

◉ 발화점

어떤 물질이 불에 직접 닿지 않아도 타기 시작하는 온도

예 성냥의 머리 부분은 ❶ [   ]이 낮아 작은 마찰에도 쉽게 불이 붙는다.

◉ 연소

물질이 산소와 빠르게 반응하여 빛과 열을 내는 현상

예 나무가 ❷ [   ]할 때 불꽃이 일어나고 뜨겁다.

정답 ❶ 발화점 ❷ 연소

실험 동영상

1 초가 탈 때 어떤 기체가 필요할까?

🧪 공기의 양에 따라 초가 타는 시간 비교하기

크기가 다른 아크릴 통으로 촛불을 동시에 덮어.

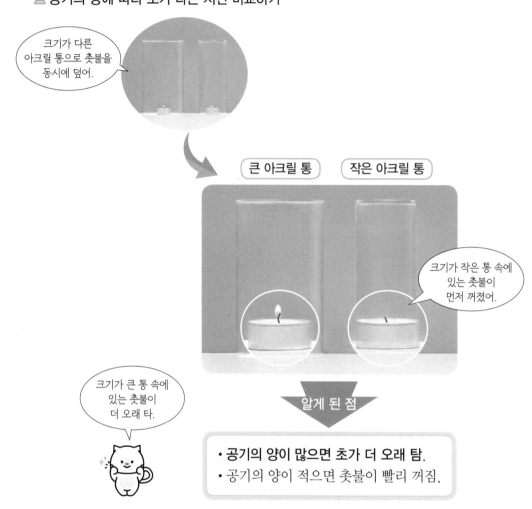

큰 아크릴 통   작은 아크릴 통

크기가 작은 통 속에 있는 촛불이 먼저 꺼졌어.

크기가 큰 통 속에 있는 촛불이 더 오래 타.

알게 된 점

• 공기의 양이 많으면 초가 더 오래 탐.
• 공기의 양이 적으면 촛불이 빨리 꺼짐.

🌐 초가 타기 전과 타고 난 후의 비커 속에 들어 있는 공기 중의 산소 비율 비교하기

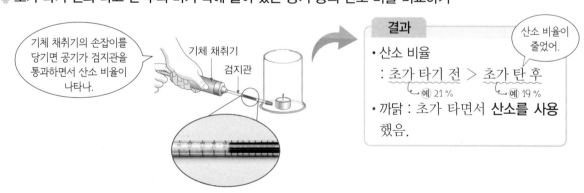

기체 채취기의 손잡이를 당기면 공기가 검지관을 통과하면서 산소 비율이 나타나.

기체 채취기
검지관

결과

산소 비율이 줄었어.

• 산소 비율
  : 초가 타기 전 > 초가 탄 후
    예) 21 %   예) 19 %
• 까닭 : 초가 타면서 **산소를 사용**했음.

☑ 초가 탈 때 공기 중의 ❶(산소 / 이산화 탄소)가 필요합니다.

2 불을 직접 붙이지 않고 물질을 태울 수 있을까?

🌐 물질을 철판 가운데에 올려놓고 가열하기

성냥의 머리 부분

→

직접 불을 붙이지 않아도 타.

어떤 물질이 불에 직접 닿지 않아도 타기 시작하는 온도를 발화점이라고 해.

→ 같은 거리에 놓아요.

🧪 두 가지 물질을 철판 가운데에 올려놓고 가열하기

성냥의 머리 부분   성냥의 나무 부분

→

먼저 불이 붙어.

• 물질이 타려면 **온도가 발화점 이상**이 되어야 함.
• 물질마다 발화점이 다름.

물질마다 불이 붙는 온도가 달라.

☑ 물질의 온도를 ❷(100도 / **발화점**) 이상으로 높이면 직접 불을 붙이지 않아도 물질이 탑니다.

3 물질이 연소할 때 무엇이 필요할까?

연소

• 뜻 : 물질이 산소와 빠르게 반응하여 빛과 열을 내는 현상
• 조건 : 탈 물질, 산소, 발화점 이상의 온도

산소
탈 물질
발화점 이상의 온도

☑ 물질이 연소하려면 ❸(빛 / **탈 물질**)과 산소가 있어야 하고, 온도가 **발화점** 이상이 되어야 합니다.

정답 ❶ 산소 ❷ 발화점 ❸ 탈 물질

개념 체크

○ 정답과 풀이 9쪽

1 공기의 양이 적으면 ☐☐의 양이 적으므로 촛불이 빨리 꺼집니다.

2 성냥의 머리 부분과 나무 부분을 가열하면 성냥의 ☐☐ 부분에 먼저 불이 붙습니다.

3 연소의 조건은 탈 물질, 산소, ☐☐☐ 이상의 온도입니다.

보 기
• 산소   • 탄소
• 머리   • 나무
• 100   • 발화점

● 정답과 풀이 9쪽

1 오른쪽과 같이 크기가 다른 아크릴 통으로 촛불을 동시에 덮은 뒤 초가 타는 시간을 비교하였습니다. 촛불이 먼저 꺼지는 것은 어느 통 속에 있는 것인지 쓰시오.

크기가 (   ) 아크릴 통

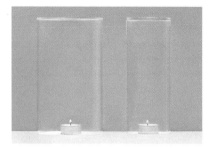

▲ 크기가 큰   ▲ 크기가 작은
아크릴 통   아크릴 통

2 위 **1**번 실험에서 각 아크릴 통 속에 있는 공기의 양을 줄로 바르게 이으시오.

(1) 크기가 큰 아크릴 통 •   • ㉠ 공기의 양이 적음.

(2) 크기가 작은 아크릴 통 •   • ㉡ 공기의 양이 많음.

3 다음은 초가 타기 전과 타고 난 후의 비커 속에 들어 있는 공기 중의 산소 비율을 측정한 결과입니다. 결과를 보고 알 수 있는 점으로 옳은 것을 두 가지 고르시오.

(,   )

기체 채취기
검지관

▲ 기체 검지관으로 비커 속 산소 비율 측정하기

초가 타기 전 산소 비율	초가 타고 난 후 산소 비율
약 21 %	약 19 %

① 초가 탈 때 산소가 생긴다.

② 초가 타면서 산소를 사용한다.

③ 초가 타고 난 후 산소 비율이 늘었다.

④ 초가 타고 난 후 산소 비율이 줄었다.

⑤ 초가 타기 전과 초가 타고 난 후의 산소 비율은 변하지 않는다.

4 다음은 공기의 양에 따라 초가 타는 시간이 다른 까닭입니다. ☐ 안에 공통으로 들어갈 알맞은 말을 쓰시오.

> 공기의 양이 많으면 ☐ 의 양이 많으므로 초가 더 오래 타고, 공기의 양이 적으면 ☐ 의 양이 적으므로 촛불이 빨리 꺼집니다.

(   )

5 오른쪽과 같이 장치하고 철판 가운데 부분을 알코올램프로 가열할 때 결과로 옳은 것은 어느 것입니까? (단, 성냥의 머리 부분과 나무 부분을 철판 가운데로부터 같은 거리에 올려놓습니다.) (   )

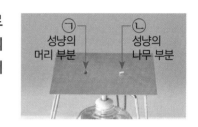

① 동시에 불이 붙는다.
② ㉠에 먼저 불이 붙는다.
③ ㉡에 먼저 불이 붙는다.
④ 실험을 할 때마다 결과가 다르다.
⑤ 모두 불이 붙지 않는다.

집중 연습 문제   연소의 조건

6 다음 중 연소가 일어나기 위해 반드시 필요한 것에 모두 ○표를 하시오.

(1) 빛 (   )

(2) 물 (   )

(3) 산소 (   )

(4) 탈 물질 (   )

(5) 이산화 탄소 (   )

(6) 발화점 이상의 온도 (   )

(7) 발화점 미만의 온도 (   )

연소란 물질이 산소와 빠르게 반응하여 빛과 열을 내는 현상이야.

3일 연소 후 생기는 물질과 소화 방법

 물에 닿으면 색이 변하는 종이가 있다고?

너희가 준 물건을 팔아서 번 돈으로 휴가를 왔어.

헉~, 큰일 났네.

우리 같은 문어형 우주인은 물에 아주 민감해서 어딜 가든 물을 꼭 확인해.

푸른색 ♥염화 코발트 종이로 진짜 물인지 확인해 보는 거야. 물에 닿으면 붉게 변해.

어? 이건 무슨 액체이지?

이렇게 액체에 입김을 불어 넣을 때 이 액체가 ♥석회수라면 뿌옇게 흐려질 거야.

설마 마시는 건 아니지?

사람이 내쉬는 숨에 이산화 탄소가 많으니 뿌옇게 되는군. 이 액체는 석회수야!

그거 오줌 담은 통이야. 우리 오줌 성분이 석회수랑 비슷해.

🐻 용어 체크

♥ **푸른색 염화 코발트 종이**

염화 코발트 용액을 종이에 흡수시켜 말려 놓은 것으로, 물에 닿으면 붉게 변함.

예 푸른색 [❶] 종이는 물에 닿으면 붉게 변한다.

♥ **석회수**

수산화 칼슘을 물에 녹인 무색투명한 액체로, 이산화 탄소와 만나면 뿌옇게 흐려짐.

예 [❷] 는 이산화 탄소와 만나면 뿌옇게 된다.

항상 불조심!

불이 잘 안 붙네.

우리 몸이 너무 축축해서 성냥까지 젖었나 봐.

헉! 우리한테는 너무 세!

문어 통구이 되겠어!

화 르 륵

좌 악

치 이 이 익

살았다!

어떻게 한 거야?

물을 뿌리면 발화점 미만으로 온도가 낮아져서 불을 끌 수 있어.

○ 소화 방법

• 탈 물질 없애기
• 산소 공급 막기
• 발화점 미만으로 온도를 낮추기

불을 꺼지게 하는 방법은 연소의 조건 중에서 한 가지 이상의 조건을 없애면 돼.

문어 우주인들이 해적은 그만두고 모두 우주 소방관으로 취직했다는군.

나름대로 좋은 결과인 것 같아요.

용어 체크

○ 소화

연소의 조건인 탈 물질, 산소, 발화점 이상의 온도 중에서 한 가지 이상의 조건을 없애
불을 끄는 것

예 기름이나 가스, 전기로 생긴 화재의 ① ⬚⬚⬚⬚ 방법은 소화기를 사용하거나
모래를 덮어 불을 끈다.

▲ 소화기

정답 ① 소화

▶ 실험 동영상

1 초가 연소한 후에는 무엇이 생길까?

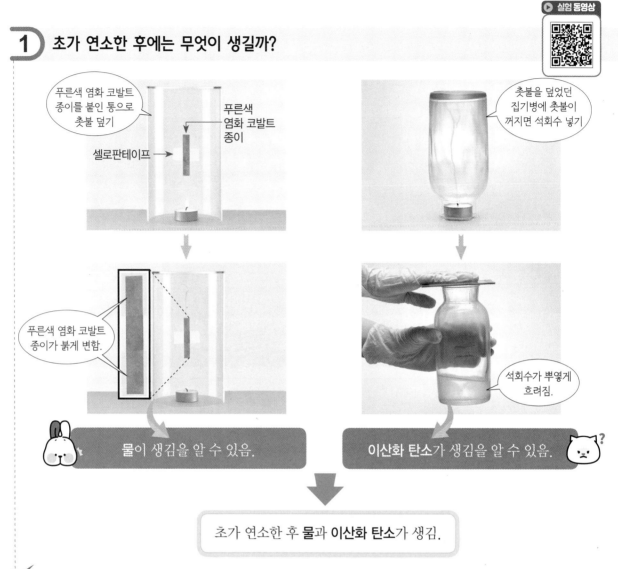

푸른색 염화 코발트 종이를 붙인 통으로 촛불 덮기

셀로판테이프 →

푸른색 염화 코발트 종이

촛불을 덮었던 집기병에 촛불이 꺼지면 석회수 넣기

푸른색 염화 코발트 종이가 붉게 변함.

석회수가 뿌옇게 흐려짐.

물이 생김을 알 수 있음.

이산화 탄소가 생김을 알 수 있음.

초가 연소한 후 물과 이산화 탄소가 생김.

☑ 초가 연소하면 연소 전의 물질과는 ❶(다른 / 같은) 새로운 물질이 만들어집니다.

2 초가 연소한 후 무게나 길이는 어떻게 될까?

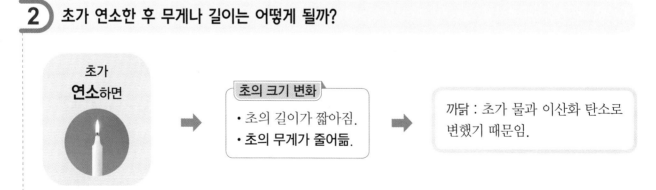

초가 **연소**하면

초의 크기 변화
• 초의 길이가 짧아짐.
• 초의 무게가 줄어듦.

까닭 : 초가 물과 이산화 탄소로 변했기 때문임.

☑ 초가 다른 물질로 ❷(변했기 / 변하지 않기) 때문에 연소한 후에 초의 무게와 길이가 줄어듭니다.

실험 동영상

3 불을 끄려면 어떻게 해야 할까?

소화

연소의 조건 중 한 가지 이상의 조건을 없애 불을 끄는 것

연소의 조건
• 탈 물질
• 산소
• 발화점 이상의 온도

연소의 조건 없애기	불을 끄는 방법		
탈 물질 없애기	촛불을 입으로 불기	초의 심지를 핀셋으로 집기	연료 조절 밸브 잠그기
산소 공급 막기	촛불을 집기병으로 덮기	알코올램프의 뚜껑을 덮기	물수건 →
발화점 미만으로 온도 낮추기 그 수를 포함하지 않고 그보다 적은 것	촛불에 분무기로 물 뿌리기		촛불을 물수건으로 덮으면 산소 공급을 막고, 물 때문에 온도가 낮아져서 촛불이 꺼져.

▲ 촛불을 물수건으로 덮기

☑ 소화 방법은 연소의 조건 중에서 ❸(한 가지 이상 / 세 가지 모두)의 조건을 없애 불을 끕니다.

정답 ❶ 다른   ❷ 변했기   ❸ 한 가지 이상

개념 체크

정답과 풀이 9쪽

1 초가 연소한 후 물과 이산화 ☐☐ 가 생깁니다.

2 초가 연소하면 초의 크기가 ☐☐☐ 니다.

3 연소의 조건 중 한 가지 이상의 조건을 없애 불을 끄는 것을 ☐☐ 라고 합니다.

보기
• 소화   • 연소
• 산소   • 탄소
• 늘어남   • 줄어듦

1 다음은 초가 연소한 후에 생기는 물질을 알아보는 방법입니다. 각 방법으로 확인할 수 있는 물질을 줄로 바르게 이으시오.

(1)

석회수

▲ 촛불을 덮었던 집기병에 촛불이 꺼지면 석회수 넣기

(2)

푸른색 염화 코발트 종이

셀로판테이프

▲ 푸른색 염화 코발트 종이를 안쪽 벽면에 붙인 통으로 촛불 덮기

• ㉠ 물

• ㉡ 이산화 탄소

2 다음은 위 **1**번의 방법에서 촛불이 꺼지고 난 후 푸른색 염화 코발트 종이와 석회수의 변화입니다. ( ) 안의 알맞은 말에 ○표를 하시오.

(1) 푸른색 염화 코발트 종이가 (붉게 / 푸르게 / 뿌옇게) 변합니다.

(2) 석회수가 (붉게 / 푸르게 / 뿌옇게) 흐려집니다.

3 다음 중 초가 연소한 후의 변화에 대한 설명으로 옳은 것은 어느 것입니까? ( )

① 초가 연소한 후 초의 크기가 커졌다.

② 초가 연소한 후 초의 길이가 길어졌다.

③ 초가 연소한 후 초의 무게가 늘어났다.

④ 초의 연소 전과 연소 후 아무 변화가 없다.

⑤ 초가 연소한 후 연소 전의 물질과 다른 물질이 만들어졌다.

4 다음은 생활에서 불을 끄는 방법입니다. 불이 꺼지는 까닭으로 옳은 것을 보기 에서 골라 기호를 쓰시오.

> • 타기 쉬운 물질을 치웁니다.
> • 가스레인지의 연료 조절 밸브를 잠급니다.

보기
㉠ 탈 물질을 없앱니다.
㉡ 산소의 공급을 막습니다.
㉢ 발화점보다 온도를 낮춥니다.

(   )

5 다음 중 산소의 공급을 막아 촛불을 끄는 방법은 어느 것입니까? (   )

①
▲ 촛불을 입으로 불기

②
▲ 촛불을 집기병으로 덮기

③
▲ 촛불에 분무기로 물 뿌리기

④
▲ 초의 심지를 핀셋으로 집기

집중 연습 문제 **연소와 소화의 조건**

6 다음 중 연소와 관련 있는 것은 '연', 소화와 관련 있는 것은 '소'라고 쓰시오.

(1) 탈 물질 공급하기 (   )

(2) 탈 물질 없애기 (   )

(3) 산소 공급하기 (   )

(4) 산소 공급 막기 (   )

(5) 발화점 이상의 온도 (   )

(6) 발화점 미만의 온도 (   )

소화란 연소의 조건에서 한 가지 이상의 조건을 없애 불을 끄는 것을 말해.

🐰 **에너지를 절약해!**

🐻 **용어 체크**

📍 **에너지**

기계를 움직이거나 생물이 활동하는 근원이 되는 힘

예 • 기계가 움직이거나 생물이 살아가는 데에는 [①⬛⬛⬛⬛] 가 필요하다.

• 사람은 음식을 먹고 소화시켜 [②⬛⬛⬛⬛] 를 얻는다.

▲ 전기 에너지를 얻는 휴대 전화

정답 ① 에너지 ② 에너지

저전력 냉장고가 대세야!

용어 체크

에너지 전환

에너지 형태가 다른 형태로 바뀌는 것

예 전기다리미는 전기 에너지를 열에너지로
❶ [   ] 한다.

효율적

들인 노력에 비하여 얻는 결과가 큰 것

예 곰이나 개구리 등의 겨울잠은 겨울을
❷ [   ] 적으로 나는 방법이다.

정답 ❶ 전환 ❷ 효율

1 에너지에는 어떤 것이 있을까?

화학 에너지
생명 활동에 필요하며, 물질이 가짐.

위치 에너지
높은 곳에 있는 물체가 가짐.

빛에너지
주위를 밝게 비춤.

전등 불빛

에너지는 기계를 움직이거나 생물이 살아가는 데 필요한 것이야.

광합성 하는 식물

스키 점프 선수

전기 에너지
전기 기구를 작동하게 함.

뛰어다니는 개

다리미의 열

운동 에너지
움직이는 물체가 가짐.

열에너지
물체의 온도를 높임.

✓ ❶ (물질 / 에너지) 형태에는 열에너지, 전기 에너지, 빛에너지, 화학 에너지, 운동 에너지, 위치 에너지 등이 있습니다.

2 에너지의 형태가 바뀌는 예를 찾아볼까?

🧪 에너지 전환 : 에너지 형태가 바뀌는 것

광합성을 할 때

빛 에너지 ➡ 화학 에너지

달릴 때

화학 에너지 ➡ 운동 에너지

다림질 할 때

전기 에너지 ➡ 열에너지

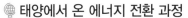

🌐 태양에서 온 에너지 전환 과정

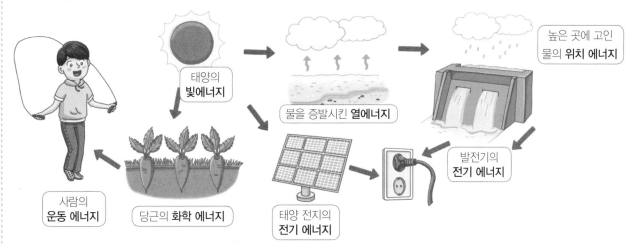

높은 곳에 고인
물의 **위치 에너지**

태양의
빛에너지

물을 증발시킨 **열에너지**

발전기의
전기 에너지

사람의
운동 에너지

당근의 **화학 에너지**

태양 전지의
전기 에너지

✔️ 우리가 생활에서 이용하는 에너지는 ❷(태양 / 달) 에너지로부터 에너지의 형태가 전환된 것입니다.

3 주

에너지를 얻는 데 필요한
자원의 양은 한정되어
있으므로 에너지를
효율적으로 이용해야 돼.

3 에너지를 효율적으로 이용한 예를 알아볼까?

발광 다이오드[LED]등

이중창

겨울눈

겨울잠

✔️ 발광 다이오드[LED]등, 이중창, 겨울눈, 겨울잠 등은 ❸(물질 / 에너지)을/를 효율적으로 이용하는
예입니다.

정답 ❶ 에너지 ❷ 태양 ❸ 에너지

🐻 **개념 체크**

정답과 풀이 10쪽

1 기계를 움직이거나 생물이 살아가는 데에는 ☐☐☐이/가 필요합니다.

2 물체의 온도를 높여 주는 에너지는 ☐에너지입니다.

3 에너지 형태가 바뀌는 것을 에너지 ☐☐이라고 합니다.

보기

• 열   • 빛

• 효율   • 전환

• 에너지   • 영양분

1 에너지의 형태가 바뀌는 예를 찾아볼까?

움직이는 롤러코스터

전기 에너지 → 운동 에너지 ⇄ 위치 에너지

광합성을 하는 나무

빛 에너지 → 화학 에너지

움직이는 범퍼카

전기 에너지 → 운동 에너지

달리는 아이

화학 에너지 → 운동 에너지

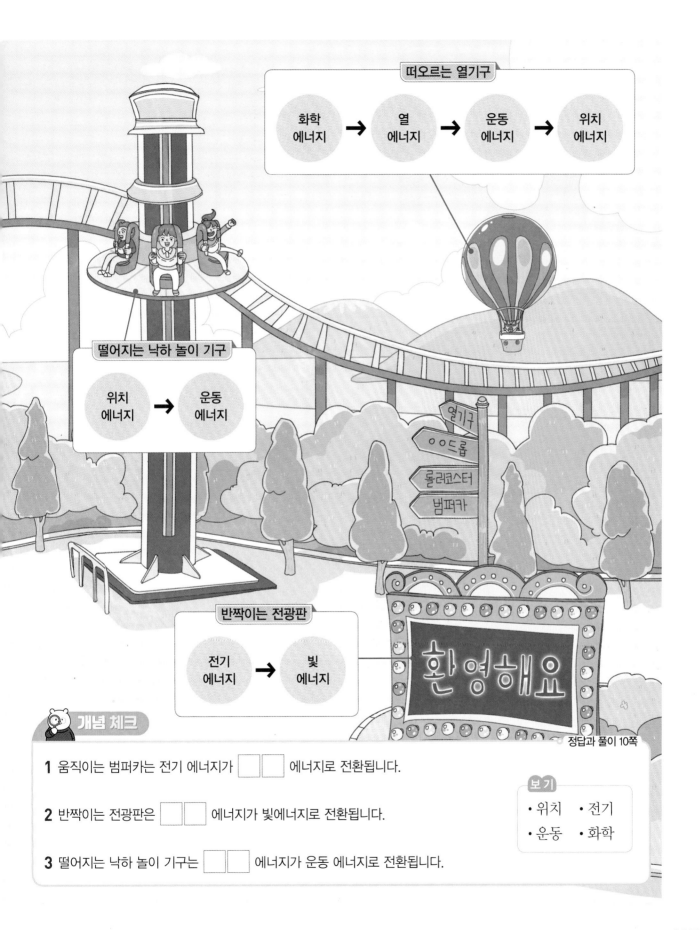

떠오르는 열기구

화학
에너지 → 열
에너지 → 운동
에너지 → 위치
에너지

떨어지는 낙하 놀이 기구

위치
에너지 → 운동
에너지

반짝이는 전광판

전기
에너지 → 빛
에너지

열기구
○○드롭
롤러코스터
범퍼카

환영해요

정답과 풀이 10쪽

개념 체크

1 움직이는 범퍼카는 전기 에너지가 □□ 에너지로 전환됩니다.

2 반짝이는 전광판은 □□ 에너지가 빛에너지로 전환됩니다.

3 떨어지는 낙하 놀이 기구는 □□ 에너지가 운동 에너지로 전환됩니다.

보기
• 위치   • 전기
• 운동   • 화학

1 다음 ☐ 안에 공통으로 들어갈 알맞은 말을 쓰시오.

> • 기계를 움직이는 데 ☐ 이/가 필요합니다.
> • 생물이 살아가는 데 ☐ 이/가 필요합니다.
> • 기계와 생물은 각각 다른 방법으로 ☐ 을/를 얻습니다.

( )

2 다음의 에너지 형태에 대한 설명을 줄로 바르게 이으시오.

(1) 열에너지 •   • ㉠ 주위를 밝게 비추는 에너지

(2) 빛에너지 •   • ㉡ 물체의 온도를 높이는 에너지

(3) 전기 에너지 •   • ㉢ 움직이는 물체가 가지는 에너지

(4) 위치 에너지 •   • ㉣ 전기 기구를 작동하게 하는 에너지

(5) 운동 에너지 •   • ㉤ 높은 곳에 있는 물체가 가진 에너지

3 오른쪽 촛불과 관련된 에너지 형태를 두 가지 고르시오.

(,)

① 열에너지   ② 빛에너지   ③ 전기 에너지
④ 운동 에너지   ⑤ 위치 에너지

4 다음에서 공통적으로 관련된 에너지 형태를 쓰시오.

> 광합성을 하는 식물, 음식점의 음식, 자동차 연료인 기름 등

( ) 에너지

5 다음 중 위치 에너지가 운동 에너지로 형태가 바뀌는 경우는 어느 것입니까? (   )

①
▲ 광합성을 하는 식물

②
▲ 달리는 아이

③
▲ 롤러코스터가 비탈길을 내려올 때

④
▲ 다림질을 할 때

6 다음 보기 에서 전기 에너지가 빛에너지 외에 열에너지로 전환되는 에너지의 비율이 가장 낮아 에너지를 가장 효율적으로 이용하는 전등을 골라 기호를 쓰시오.

보기

ㄱ 전기 에너지 → 빛에너지 약 5 % / 열에너지
▲ 백열등

ㄴ 전기 에너지 → 빛에너지 약 40 %~50 % / 열에너지
▲ 형광등

ㄷ 전기 에너지 → 빛에너지 약 90 % / 열에너지
▲ 발광 다이오드[LED]등

(   )

똑똑한 하루 퀴즈

7 다음 □ 안에 들어갈 알맞은 낱말을 말 상자에서 찾아 모두 ○표를 하세요. 말 상자의 낱말은 가로, 세로, 대각선에 숨어 있어요.

효	율	운	화
★	동	★	학
전	기	위	★
환	★	열	치
★	에	너	지

❶ 기계를 움직이거나 생물이 살아가는 데 □□□가 필요함.

❷ 생물의 생명 활동에 필요한 에너지. □□ 에너지

❸ 전기 기구를 작동하게 하는 에너지. □□ 에너지

❹ 높은 곳에 있는 물체가 가진 에너지. □□ 에너지

❺ 에너지의 형태가 바뀌는 것. 에너지 □□

3
주

1 물질이 탈 때 나타나는 공통적인 현상

사람들은 물질을 태워 빛과 열을 이용해.

초가 타는 모습	알코올이 타는 모습

공통점
- 불꽃 주변이 밝고 따뜻해짐.
- 물질이 빛과 열을 내면서 탐.
- 물질의 양이 변하기도 함.

2 연소의 조건

① **연소** : 물질이 산소와 빠르게 반응하여 빛과 열을 내는 현상
② **연소의 조건** : 한 가지라도 부족하면 연소가 일어나지 않습니다.

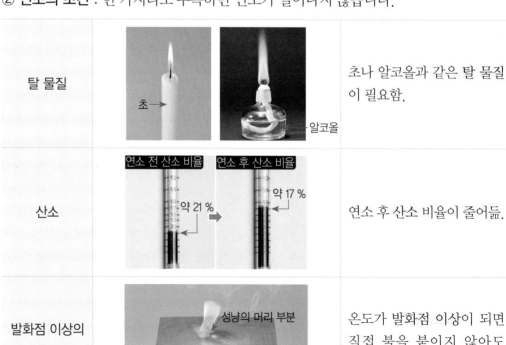

탈 물질	초→ 알코올	초나 알코올과 같은 탈 물질이 필요함.
산소	연소 전 산소 비율 약 21 % → 연소 후 산소 비율 약 17 %	연소 후 산소 비율이 줄어듦.
발화점 이상의 온도	성냥의 머리 부분	온도가 발화점 이상이 되면 직접 불을 붙이지 않아도 연소함.

발화점은 물질이 불에 직접 닿지 않아도 타기 시작하는 온도야.

3 연소 후 생기는 물질과 소화 방법

물질이 연소하면 연소 전의 물질과는 다른 새로운 물질이 만들어져.

① **초가 연소한 후에 생기는 물질**
  • 물 : 푸른색 염화 코발트 종이가 붉게 변하는 것으로 확인할 수 있습니다.
  • 이산화탄소 : 석회수가 뿌옇게 흐려지는 것으로 확인할 수 있습니다.
② **초가 연소한 후에 크기가 줄어든 까닭** : 초가 물과 이산화 탄소로 변했기 때문입니다.
③ **소화 방법** : 연소의 조건 중에서 한 가지 이상의 조건을 없애야 합니다.
  └ 불을 끄는 것

탈 물질 없애기	산소 공급 막기	발화점 미만으로 온도 낮추기
 예 촛불을 입으로 불어.	예 촛불을 집기병으로 덮어.	예 촛불에 물을 뿌려.

4 에너지와 생활

① **에너지의 필요성** : 기계를 움직이게 해 주고, 생물을 살아가게 합니다.
② **에너지 형태** : 열에너지, 전기 에너지, 빛에너지, 화학 에너지, 운동 에너지, 위치 에너지 등
③ **에너지 전환** : 에너지의 형태가 바뀌는 것을 말합니다. 예

  • 달리는 아이 : 화학 에너지 → 운동 에너지
  • 움직이는 롤러코스터 : 전기 에너지 → 운동 에너지 ⇌ 위치 에너지

④ **에너지의 효율적 이용** : 발광 다이오드[LED]등, 이중창, 겨울눈, 겨울잠 등

하루 웹툰 **화재가 발생했을 때 대처 방법** ★★★☆☆

1일 물질이 탈 때 나타나는 현상

[1~2] 다음은 초와 알코올이 타는 모습입니다. 물음에 답하시오.

▲ 초가 타는 모습   ▲ 알코올이 디는 모습

1 다음 중 초와 알코올이 타는 현상을 관찰한 내용으로 옳은 것은 어느 것입니까? (   )

① 초와 알코올램프의 불꽃 주변은 어둡다.

② 초와 알코올램프의 심지의 윗부분은 하얀색이다.

③ 시간이 지날수록 초의 길이와 알코올의 양이 줄어든다.

④ 초와 알코올램프에 불을 붙이기 전과 불을 끈 후의 무게는 각각 같다.

⑤ 초와 알코올램프의 불꽃 윗부분보다 초와 알코올램프 몸체가 더 뜨겁다.

2 위와 같이 물질이 탈 때 나타나는 공통적인 현상으로 옳지 <u>않은</u> 것은 어느 것입니까?

(   )

① 빛이 발생한다.   ② 열이 발생한다.

③ 불꽃이 생기기도 한다.   ④ 물질의 양이 변하기도 한다.

⑤ 물질의 무게는 변하지 않는다.

2일 연소의 조건

3 다음은 연소의 뜻입니다. ☐ 안에 들어갈 알맞은 말을 쓰시오.

> 연소란 물질이 ☐ 와/과 빠르게 반응하여 빛과 열을 내는 현상을 말합니다.

(   )

○ 정답과 풀이 11쪽

4 다음은 초와 알코올램프에 불을 붙인 모습입니다. 각각의 경우에 탈 물질은 무엇인지 쓰시오.

(1)

(   )

(2)

(   )

[5~6] 오른쪽과 같이 크기가 같은 작은 양초 두 개에 불을 붙인 뒤 크기가 다른 투명 아크릴 통으로 촛불을 동시에 덮었습니다. 물음에 답하시오.

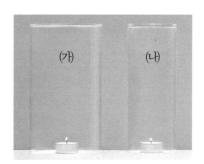

5 위의 실험에서 다르게 한 조건을 보기 에서 골라 기호를 쓰시오.

보기
㉠ 통의 크기　　　　㉡ 양초의 크기　　　　㉢ 통으로 촛불을 덮은 시간

(   )

6 위의 실험 결과 ㈏의 촛불이 먼저 꺼졌습니다. 그 까닭으로 옳은 것은 어느 것입니까?

(   )

① 양초의 크기가 작기 때문이다.　　② 양초의 크기가 크기 때문이다.
③ 통 속 공기의 양이 적기 때문이다.　　④ 통 속 공기의 양이 많기 때문이다.
⑤ 양초에 불을 나중에 붙였기 때문이다.

7 오른쪽과 같이 장치하고 철판 가운데 부분을 알코올램프로 가열하면 성냥의 머리 부분에 불이 붙습니다. 이때의 온도에 대한 설명으로 옳은 것에 ○표를 하시오.

성냥의 머리 부분

(1) 발화점 이상의 온도입니다. (　　　　)

(2) 발화점보다 낮은 온도입니다. (　　　　)

3일 연소 후 생기는 물질과 소화 방법

서술형

8 다음은 초가 연소한 후에 생기는 물질을 확인하는 방법입니다.

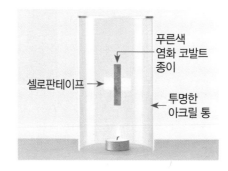

푸른색
염화 코발트
종이

셀로판테이프 →

투명한
아크릴 통

(1) 촛불이 꺼지고 난 후 푸른색 염화 코발트 종이의 색깔 변화를 쓰시오.

( )

(2) 위 활동으로 알게 된 점을 쓰시오.

9 다음은 초가 연소한 후에 생기는 물질을 확인하는 방법과 결과입니다. ☐ 안에 들어갈 알맞은 말을 각각 쓰시오.

- 방법 : 초에 불을 붙인 뒤 집기병으로 덮어 촛불이 꺼지면 집기병을 들어 올려 유리 판으로 막은 다음, ㉠ 을/를 집기병에 붓고 집기병을 살짝 흔듭니다.
- 결과 : ㉠ 이/가 뿌옇게 흐려졌습니다.
- 알 수 있는 점 : 초가 연소한 후에 ㉡ 이/가 생깁니다.

㉠ ( ) ㉡ ( )

10 다음 중 촛불을 끄는 방법으로 알맞지 않은 것은 어느 것입니까? ( )

① 촛불을 입으로 분다. ② 초의 길이를 늘여 준다.
③ 촛불을 물수건으로 덮는다. ④ 촛불을 집기병으로 덮는다.
⑤ 촛불에 분무기로 물을 뿌린다.

11 물질의 연소와 관련된 에너지 형태를 두 가지 쓰시오.

(   )

12 다음은 움직이는 롤러코스터의 에너지 전환 과정입니다. □ 안에 들어갈 에너지 형태를 순서대로 두 가지 고르시오.

(,   )

▲ 롤러코스터

전기 에너지 → □ 에너지 ⇄ □ 에너지

① 열　　　　　② 빛　　　　　③ 화학

④ 운동　　　　⑤ 위치

똑똑한 하루 퀴즈

13 다음 십자말풀이를 해 보세요.

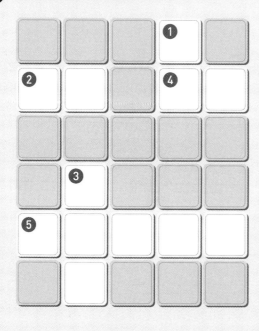

→가로

❷ 물질이 산소와 빠르게 반응하여 빛과 열을 내는 현상

❹ 연소의 조건 중 한 가지 이상을 없애 불을 끄는 것

❺ 푸른색 □□ □□□ 종이는 물에 닿으면 색깔이 붉게 변함.

↓세로

❶ 물질이 탈 때 필요한 기체

❸ 어떤 물질이 불에 직접 닿지 않아도 타기 시작하는 온도

1 다음 중 물질이 탈 때 공통적으로 나타나는 현상으로 옳은 것은 어느 것입니까? (   )

① 흰 연기가 난다.

② 빛과 열이 발생한다.

③ 물질의 무게가 늘어난다.

④ 물질의 양은 변하지 않는다.

⑤ 불꽃의 아랫부분이 윗부분보다 뜨겁다.

2 다음과 같이 초 두 개에 불을 붙이고 크기가 다른 아크릴 통으로 촛불을 각각 동시에 덮은 뒤 초가 타는 시간을 비교하였습니다. 실험 결과로 옳은 것은 어느 것입니까? (   )

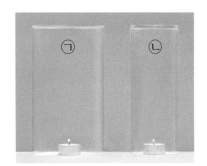

① 촛불은 꺼지지 않는다.

② 촛불이 동시에 꺼진다.

③ ㉠ 통에서 초가 더 오래 탄다.

④ ㉡ 통에서 초가 더 오래 탄다.

⑤ 촛불이 계속 작아졌다 커졌다 한다.

3 다음과 같이 장치하고 철판의 가운데 부분을 알코올램프로 가열하였습니다. ㉠과 ㉡이 연소하는 순서대로 기호를 쓰시오. (단, ㉠과 ㉡을 철판 가운데로부터 같은 거리에 올려놓았습니다.)

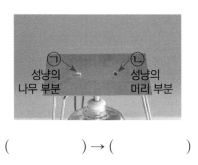

(   ) → (   )

4 연소가 일어나기 위해 필요한 조건 세 가지를 모두 쓰시오.

(   )

5 다음 중 초가 연소한 후에 생기는 물질과 그 물질을 확인하는 데 필요한 것을 바르게 짝지은 것은 어느 것입니까? (   )

	연소 생성물	확인하는 데 필요한 것
①	물	석회수
②	산소	석회수
③	이산화 탄소	석회수
④	물	푸른색 리트머스 종이
⑤	이산화 탄소	푸른색 염화 코발트 종이

6 다음 중 물질이 연소하기 전과 연소한 후에 대한 설명으로 옳은 것에 ○표를 하시오.

(1) 초가 연소하기 전과 연소한 후의 물질은 같습니다. ( )

(2) 물질이 연소하면 연소 전의 물질과는 다른 새로운 물질이 만들어집니다. ( )

7 다음의 촛불을 끄는 방법과 촛불이 꺼지는 까닭을 줄로 바르게 이으시오.

(1)

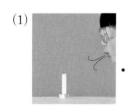

▲ 촛불을 입으로 불기

ㆍ ㄱ 탈 물질 없애기

(2)

▲ 촛불을 집기병으로 덮기

ㆍ ㄴ 산소 공급 막기

(3)

▲ 촛불에 분무기로 물 뿌리기

ㆍ ㄷ 발화점 미만으로 온도 낮추기

8 다음 알코올램프의 불을 끄는 방법을 쓰시오.

( )

9 다음은 화재가 발생했을 때 대처 방법입니다. ㉠과 ㉡ 안에 들어갈 알맞은 말을 쓰시오.

> • 승강기 대신 ㉠ 을/를 이용합니다.
> • 젖은 수건으로 ㉡ 을/를 막고 몸을 낮춰 이동합니다.

㉠ ( ) ㆍ ㉡ ( )

10 다음 중 우리 주변에서 일어나는 에너지 전환 과정이 옳지 <u>않은</u> 것은 어느 것입니까?
( )

① 달리는 아이 : 화학 에너지 → 운동 에너지

② 불 켜진 가로등 : 전기 에너지 → 빛에너지

③ 떨어지는 물 : 위치 에너지 → 운동 에너지

④ 광합성을 하는 나무 : 빛에너지 → 화학 에너지

⑤ 초가 탈 때 : 빛에너지, 열에너지 → 화학 에너지

생활 속 과학

연소의 뜻을 알고 연소의 조건과 관련지어 소화의 방법을 살펴봅니다.

연소의 반대는 소화!

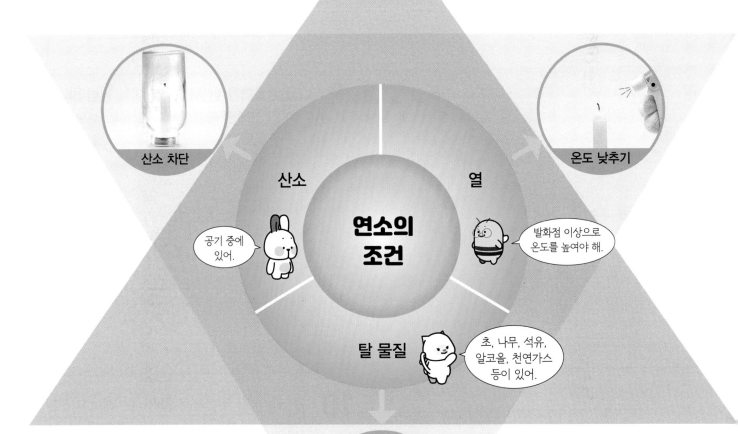

연소
물질이 산소와 빠르게 결합하면서
빛과 열을 내는 현상

산소 차단

온도 낮추기

산소

열

연소의 조건

공기 중에 있어.

발화점 이상으로 온도를 높여야 해.

탈 물질

초, 나무, 석유, 알코올, 천연가스 등이 있어.

탈 물질 없애기

소화
연소의 조건 중 한 가지 이상의
조건을 없애 불을 끄는 것

1 다음은 친구들과 캠핑장에 놀러가서 불을 피웠다 끄는 모습 중 서로 관계있는 연소의 조건과 소화의 방법을 연결한 것이에요. 빈칸에 들어갈 관련된 연소의 조건을 각각 쓰세요.

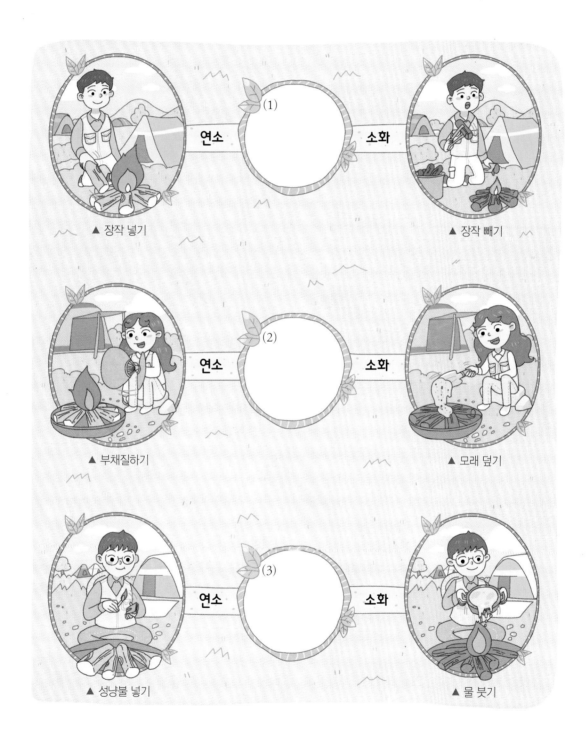

연소 　(1)　 소화
▲ 장작 넣기　　　　　　　　　　▲ 장작 빼기

연소 　(2)　 소화
▲ 부채질하기　　　　　　　　　　▲ 모래 덮기

연소 　(3)　 소화
▲ 성냥불 넣기　　　　　　　　　　▲ 물 붓기

사고 쑥쑥

연소의 조건과 소화의 조건을 관련지어 살펴봅니다.

2 다음은 캠핑장의 모습이에요. 출발점 세 곳에서 길을 따라 도착한 곳은 '연소'와 '소화' 중 각각 어디인지 ⑴, ⑵의 빈 칸에 쓰세요.

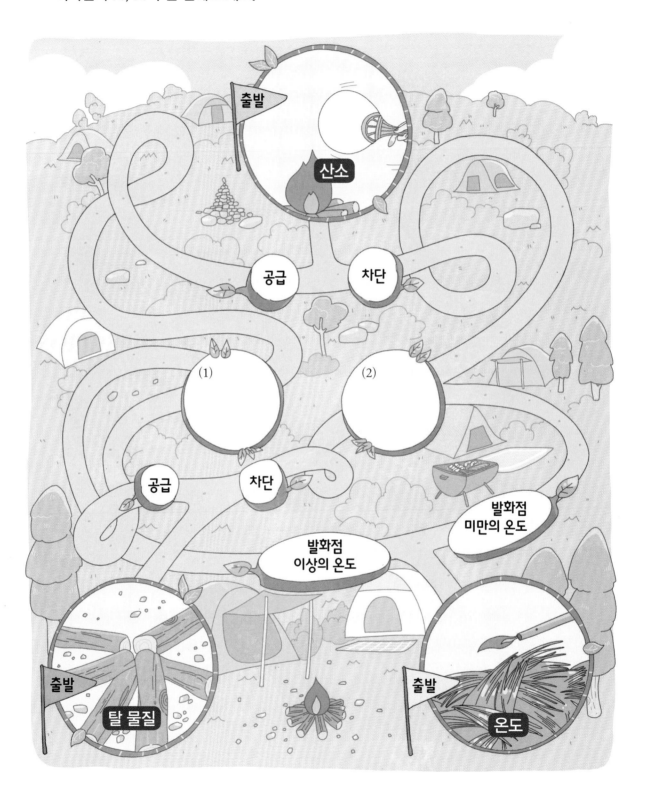

초가 타는 모습을 통해 연소 조건과 연소 생성물을 살펴봅니다.

3 다음은 초가 타고 있는 모습이에요. 초가 탈 때 필요한 것과 초가 탄 후에 생기는 물질을
보기 에서 각각 찾아 그려 넣으세요.
(단, 초가 탈 때 필요한 것은 →, 초가 탄 후에 생기는 물질은 →입니다.)

보 기

▲ 물　　　▲ 산소　　　▲ 이산화 탄소　　　▲ 발화점 미만의 온도　　　▲ 발화점 이상의 온도

탈 물질

3주특강

논리 탄탄

코딩을 통해 에너지 형태와 에너지 전환을 살펴봅니다.

4 다음 만화는 우리 생활에서 에너지 전환이 일어나는 경우예요. 코딩을 하여 도착하는 곳의 에너지 형태를 써서 에너지 전환 과정을 완성하세요.

코딩 명령어	↓ 아래로 한 칸 이동	↑ 위로 한 칸 이동
	← 왼쪽으로 한 칸 이동	→ 오른쪽으로 한 칸 이동

(1) → → ↓ → ← → ←

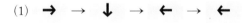

(   ) 에너지

에너지 전환 →

(2) ↓ → ↓ → ← → ↑

(   ) 에너지

순서도를 통해 연소와 소화의 조건을 살펴봅니다.

5 다음 순서도는 물질이 연소되거나 소화되는 과정이에요. 순서도의 빈칸에 들어갈 말을 <보기>에서 골라 쓰세요.

<보기>

| 산소 | 이상 | 미만 | 연소 | 소화 | 이산화 탄소 |

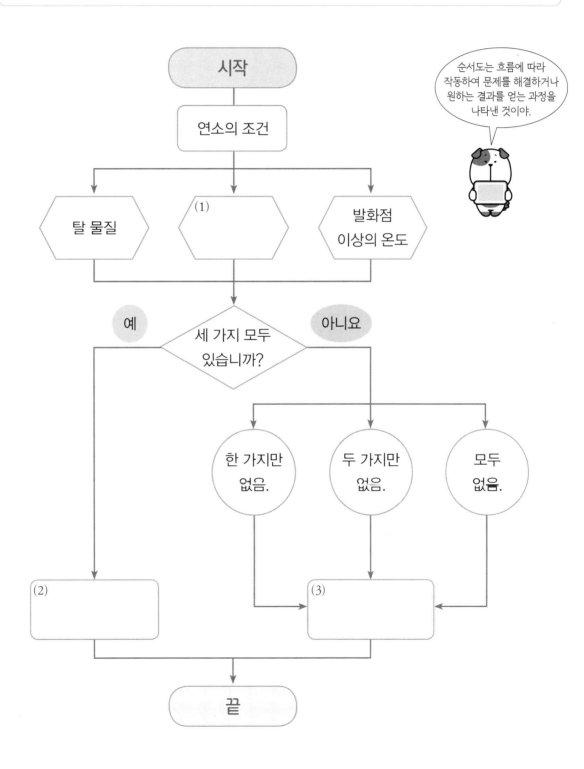

순서도는 흐름에 따라 작동하여 문제를 해결하거나 원하는 결과를 얻는 과정을 나타낸 것이야.

시작

연소의 조건

탈 물질   (1)   발화점 이상의 온도

예   세 가지 모두 있습니까?   아니요

한 가지만 없음.   두 가지만 없음.   모두 없음.

(2)   (3)

끝

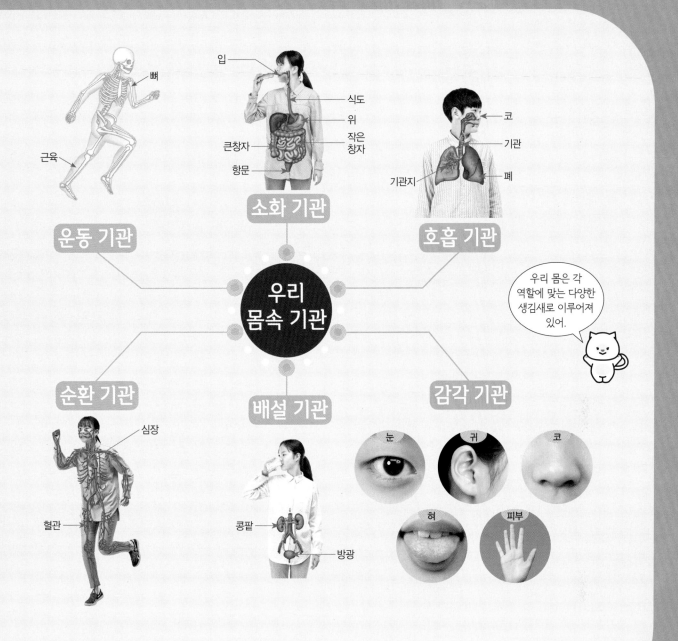

우리
몸속 기관

운동 기관

뼈
근육

소화 기관

입
식도
위
작은
창자
큰창자
항문

호흡 기관

코
기관
기관지
폐

우리 몸은 각
역할에 맞는 다양한
생김새로 이루어져
있어.

순환 기관

심장
혈관

배설 기관

콩팥
방광

감각 기관

눈
귀
코
혀
피부

우리가 건강하게 생활하려면 몸속의
여러 기관이 서로 영향을 주고받으며 각각의
기능을 잘 수행해야 한다는 것을 꼭 기억해.

근육

筋 肉

힘줄 **근** 고기 **육**

뜻 뼈에 연결되어 있어 길이가 줄어들거나 늘어나면서 뼈를 움직이게 하는 기관

예 우리 몸속의 기관 중에서 움직임에 관여하는 뼈와 **근육**을 운동 기관이라고 해요.

소화

消 化

사라질 **소** 될 **화**

뜻 우리 몸에 필요한 영양소가 들어 있는 음식물을 잘게 쪼개 몸에 흡수될 수 있는 형태로 분해하는 과정

예 입은 **소화**가 시작되는 곳으로 소화 기관 중에서 유일하게 직접 볼 수 있어요.

숨을 들이마실 때 코로 들어온 공기는 사람 몸에 필요한 산소를 공급해.

호흡

呼 吸

부를 **호** 숨들이쉴 **흡**

뜻 숨을 들이마시고 내쉬는 활동

예 물에서 사는 붕어와 같은 물고기는 아가미를 이용해서 **호흡**해요.

순환

循 環

돌 **순** 고리 **환**

뜻 혈액이 사람의 몸안을 되풀이하여 돎

예 혈액 **순환**이 잘되지 않는 사람은 손발이 차고 잘 부어요.

우리 몸의 구조와 기능과 관련된 다양한 용어가 있어. 특히 소화, 호흡, 순환, 배설 등의 용어는 꼭 기억해.

심장

心 臟
마음 **심** 오장 **장**

뜻 주먹 모양으로 펌프 작용으로 혈액을 온몸으로 순환시키는 기관

예 줄넘기를 하고 나니 **심장**이 빠르게 뛰고 땀이 났어요.

배설

排 泄
밀칠 **배** 샐 **설**

오줌을 참으면 병이 돼.

뜻 혈액에 있는 노폐물을 몸 밖으로 내보내는 과정

예 노폐물이 **배설**되지 않고 몸에 쌓이면 병에 걸리게 돼요.

혈액에서 걸러진 노폐물은 오줌이 되어 방광에 저장되었다가 관을 통해 몸 밖으로 나가.

감각 기관

感 覺
느낄 **감** 깨달을 **각**

뜻 주변으로부터 전달된 자극을 느끼고 받아들이는 눈, 귀, 코, 혀, 피부와 같은 기관

예 개는 여러 가지 **감각 기관** 중 코가 발달하여 냄새를 잘 맡아요.

탐정님~ 빨리 와요.

호흡도 빨라지고 심장도 빨리 뛰어.

운동할 때에는 우리 몸에 다양한 변화가 나타나요.

장고는 나이가 많아서 더 힘든 거야.

4
주

1일 운동 기관 / 소화 기관

장고 탐정의 본모습은?

뭐라고? 내 몸의 결합을 풀 수 있는 냉 우주인의 몸 자료를 찾았다고!

힘들게 구했어. 좀 있다 보내줄게.

드디어 내 본모습으로 돌아갈 수 있는 건가?

냉 우주인의 몸은 어떻게 생겼을지 궁금하다.

혹시 뼈가 무기일지도?

천만에! 내 뼈도 지구인처럼 몸의 형태를 만들어 주고, 내부를 보호하는 역할을 해.

총알도 막아주는 튼튼한 근육을 가졌을지도 몰라.

영화를 너무 봤구나. 내 ♥근육도 지구인처럼 뼈에 연결되어 있어 몸을 움직일 수 있게 하거든.

다시 말해 냉 우주인의 뼈와 근육은 지구인과 별다를 게 없어!

장고 탐정의 본모습은 이게 아닐까?

좀 더 무서운 모습일지도 몰라.

너희들 내 말 들은 거 맞아?

용어 체크

♥ 근육

뼈에 연결되어 있어 길이가 줄어들거나 늘어나면서 뼈를 움직이게 하는 기관

예 우리 몸은 뼈와 [　　　]이 있어서 다양한 자세로 움직일 수 있다.

▲ 팔 근육

정답 ❶ 근육

음식물은 소화 기관을 거쳐 소화돼.

원래 모습으로 돌아가면 지구 음식 잔뜩 먹어야지!

너무 먹으면 체한다고요.

우하하하!

기다려라, 김밥, 피자 치킨, 붕어빵!

소화제 먹으면 돼! 다행히 ◎소화하는 방법도 지구인과 똑같아!

내가 먹은 음식물은 소화 기관을 거쳐 점차 잘게 쪼개져서 영양소와 수분은 몸속으로 흡수돼.

소화되지 않은 음식물 찌꺼기는 항문으로 배출되는데 이걸 똥이라고 하지.

으

딩동

냉 우주인의 인체 설계도 도착!

웬 냉장고 설계도?

냉장고가 본체인 걸로 착각했군.

어쩐지 불쌍해.

🦉 용어 체크

◎ **소화**

우리 몸에 필요한 영양소가 들어 있는 음식물을 잘게 쪼개 몸에 흡수될 수 있는 형태로 분해하는 과정

예 음식물을 잘 씹어서 먹어야 [①   ]가 잘된다.

消	化
사라질	될
소	화

정답 ❶ 소화

1 우리 몸은 어떻게 움직이는지 알아볼까?

움직임에 관여하는 **뼈**와 **근육**을 운동 기관이라고 해.

뼈

머리뼈
목뼈
갈비뼈
팔뼈
척추뼈
손가락뼈
다리뼈
발가락뼈

근육

뼈가 하는 일
• 몸을 지지함.
• 몸의 형태를 만들어 줌.
• 심장, 폐, 뇌 등을 보호함.

근육이 하는 일
뼈에 연결되어 있어 길이가
줄어들거나 늘어나면서 몸을
움직일 수 있게 함.

☑ 우리가 몸을 움직일 수 있는 까닭은 **❶(뼈 / 근육)**의 길이가 변하면서 근육과 연결된 뼈가 움직이기 때문입니다.

2 우리는 왜 음식물을 먹어야 할까?

우리가 생활하는 데 필요한 영양소와 에너지는 음식물에서 얻어.

음식물이 잘게 쪼개져야 몸에 흡수가 잘되니까 음식물을 잘 씹어야 해.

☑ 우리는 생활하는 데 필요한 **영양소**와 **❷(에너지 / 광합성)**을/를 얻기 위해 음식물을 먹어야 합니다.

3 소화 기관이 하는 일을 알아볼까?

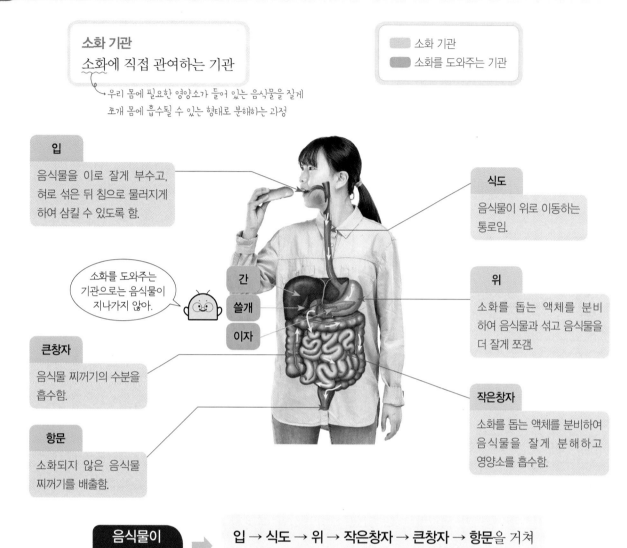

소화 기관
소화에 직접 관여하는 기관
↳ 우리 몸에 필요한 영양소가 들어 있는 음식물을 잘게
쪼개 몸에 흡수될 수 있는 형태로 분해하는 과정

■ 소화 기관
■ 소화를 도와주는 기관

입
음식물을 이로 잘게 부수고,
혀로 섞은 뒤 침으로 물러지게
하여 삼킬 수 있도록 함.

식도
음식물이 위로 이동하는
통로임.

소화를 도와주는
기관으로는 음식물이
지나가지 않아.

간
쓸개
이자

위
소화를 돕는 액체를 분비
하여 음식물과 섞고 음식물을
더 잘게 쪼갬.

큰창자
음식물 찌꺼기의 수분을
흡수함.

작은창자
소화를 돕는 액체를 분비하여
음식물을 잘게 분해하고
영양소를 흡수함.

항문
소화되지 않은 음식물
찌꺼기를 배출함.

음식물이
소화되는 과정 ➡ 입 → 식도 → 위 → 작은창자 → 큰창자 → 항문을 거쳐
음식물이 소화되고 음식물 찌꺼기를 배출함.

☑ 소화 기관에는 입, 식도, 위, 작은창자, ③(쓸개 / 큰창자), 항문 등이 있습니다.

정답 ❶ 근육 ❷ 에너지 ❸ 큰창자

개념 체크

정답과 풀이 13쪽

1 움직임에 관여하는 뼈와 근육을 ☐☐ 기관이라고 합니다.

2 소화에 직접 관여하는 기관을 ☐☐ 기관이라고 합니다.

3 큰창자는 음식물 찌꺼기의 ☐☐을/를 흡수합니다.

보기
• 기름   • 수분
• 운동   • 활동
• 배출   • 소화

4
주

1일 개념 확인하기

○ 정답과 풀이 13쪽

1 오른쪽 우리 몸의 뼈에 대한 설명으로 옳지 않은 것은 어느 것입니까? (   )

① 뼈의 모양은 다양하다.

② 뼈는 우리 몸을 지지한다.

③ 뼈는 우리 몸의 형태를 만든다.

④ 뼈는 심장, 폐, 뇌 등을 보호한다.

⑤ 뼈가 움직이며 근육을 당기거나 밀어낸다.

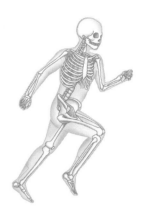

2 다음 보기 에서 운동 기관에 해당하는 것을 두 가지 고르시오.

> **보기**
> ㉠ 뼈   ㉡ 위   ㉢ 근육   ㉣ 식도

(,   )

3 다음 중 우리가 생활하는 데 필요한 영양소와 에너지를 얻는 방법에 대해 바르게 말한 친구의 이름을 쓰시오.

> 광수 : 음식물을 먹어서 얻어.
> 지효 : 광합성을 해서 스스로 만들어.
> 준기 : 아무것도 먹지 않아도 몸속에서 영양소가 만들어져.

(   )

4 다음 중 우리 몸에서 소화에 직접 관여하는 기관을 무엇이라고 합니까? (   )

① 배설 기관   ② 운동 기관   ③ 소화 기관

④ 호흡 기관   ⑤ 순환 기관

5 다음의 소화 기관에서 각 부분의 이름을 바르게 나타낸 것은 어느 것입니까? (   )

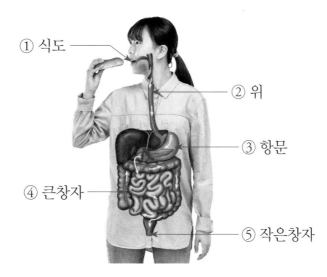

① 식도
② 위
③ 항문
④ 큰창자
⑤ 작은창자

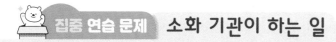

집중 연습 문제   소화 기관이 하는 일

6 다음을 소화 기관의 각 부분이 하는 일에 맞게 줄로 바르게 이으시오.

(1) 작은창자 ·

(2) 큰창자 ·

· ㉠ 음식물 찌꺼기의 수분을 흡수함.

· ㉡ 음식물을 잘게 분해하고 영양소를 흡수함.

큰창자는 굵은 관 모양으로 작은창자를 감싸고 있어.

7 다음은 음식물이 소화되어 배출되기까지 관여하는 소화 기관을 순서대로 나타낸 것입니다. ☐ 안에 들어갈 알맞은 말을 쓰시오.

입 → 식도 → ☐ → 작은창자 → 큰창자 → 항문

(   )

식도는 입으로 들어온 음식물이 이 부분으로 이동하는 통로가 돼.

4주

2일 호흡 기관

🐶⭐ **호흡으로 장고 탐정의 결합이 풀어졌는데!**

🐻 **용어 체크**

📍 **호흡**

숨을 들이마시고 내쉬는 활동

📝 잠수부가 물속에서 ①[   ]할 때에는 산소가 들어 있는 압축 공기통이
필요하다.

▲ 잠수부

폐가 냉장고 모양에 맞게 부풀었다고?

이건 내 진짜 모습이 아니야! 폐가 부풀어 있어서 그래!

폐가 어떻다고요?

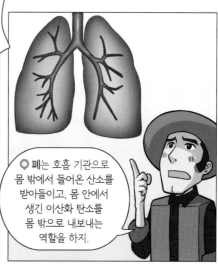

📍폐는 호흡 기관으로 몸 밖에서 들어온 산소를 받아들이고, 몸 안에서 생긴 이산화 탄소를 몸 밖으로 내보내는 역할을 하지.

내 몸통이 사각형인 것은 폐가 냉장고 모양에 맞게 부풀어 있기 때문이야.

지금은 공기가 폐로 들어가 폐가 부푼 상태로 멈춘건데.

정말까?

잠시 후

그렇지! 이게 원래 내 몸이야!

지구인이랑 다른 게 하나도 없어서 재미가 없다.

동감이야.

4
주

🐻 용어 체크

📍 폐

호흡에 관여하는 호흡 기관으로, 폐에서 산소와 이산화 탄소의 교환이 이루어져 호흡을 하게 됨.

예 미세먼지가 가득할 때는 코, 기관, 기관지, ❶ [   ]와 같은 호흡 기관에 질병이 생길 수 있으므로 마스크를 꼭 써야 한다.

▲ 호흡 기관 모형

정답 ❶ 폐

1 우리는 왜 숨을 쉬어야 할까?

> 사람은 끊임없이 숨을 쉬어야 살 수 있어.

> 숨을 참으니까 너무 견디기 힘들어.

☑ 사람은 끊임없이 숨을 쉬어야 살 수 ❶(있기 / 없기) 때문에 숨을 쉬어야 합니다.

2 호흡 기관의 생김새와 하는 일을 알아볼까?

호흡 기관
호흡에 관여하는 기관으로, 코, 기관, 기관지, 폐 등이 있음.

↳ 숨을 들이마시고 내쉬는 활동

> 코로 들이마신 공기가 폐에 잘 전달되게 하기 위해 기관지는 여러 갈래로 갈라져 있어.

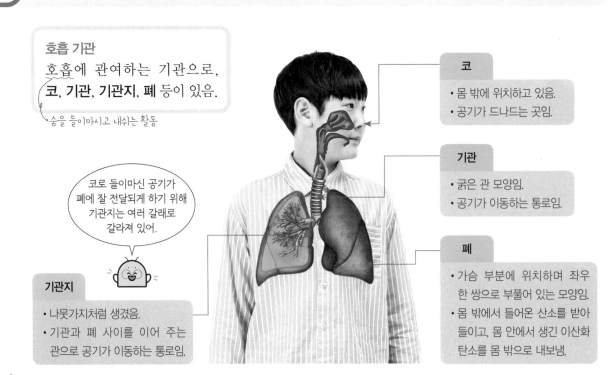

기관지
• 나뭇가지처럼 생겼음.
• 기관과 폐 사이를 이어 주는 관으로 공기가 이동하는 통로임.

코
• 몸 밖에 위치하고 있음.
• 공기가 드나드는 곳임.

기관
• 굵은 관 모양임.
• 공기가 이동하는 통로임.

폐
• 가슴 부분에 위치하며 좌우 한 쌍으로 부풀어 있는 모양임.
• 몸 밖에서 들어온 산소를 받아들이고, 몸 안에서 생긴 이산화탄소를 몸 밖으로 내보냄.

☑ 코, 기관, 기관지, 폐는 우리 몸의 ❷(소화 / 호흡) 기관입니다.

3 숨을 들이마실 때와 내쉴 때 몸속에서 공기의 이동을 알아볼까?

숨을 들이마실 때

숨을 들이마실 때 **코로 들어온 공기는 기관 → 기관지 → 폐를 거쳐** 우리 몸에 필요한 산소를 제공함.

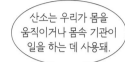
산소는 우리가 몸을 움직이거나 몸속 기관이 일을 하는 데 사용돼.

→ 숨을 들이마실 때 공기의 이동

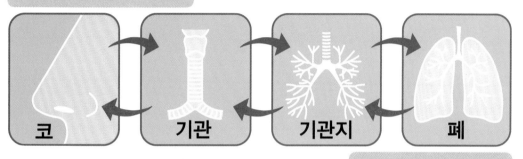

| 코 | 기관 | 기관지 | 폐 |

← 숨을 내쉴 때 공기의 이동

숨을 내쉴 때

숨을 내쉴 때 몸속의 공기는 **폐 → 기관지 → 기관 → 코를** 거쳐 몸 밖으로 나감.

☑ 숨을 ③(들이마실 / 내쉴) 때 몸속에서 공기는 코 → 기관 → 기관지 → 폐를 거쳐 이동합니다.

정답 ❶ 있기 ❷ 호흡 ❸ 들이마실

개념 체크

○ 정답과 풀이 13쪽

1 우리 몸의 호흡 기관 중 몸 밖에 위치하고 있는 것은 ☐ 입니다.

2 기관지는 기관과 ☐ 사이를 이어 주는 관입니다.

3 숨을 들이마실 때 코로 들어온 공기는 기관 → 기관지 → 폐를 거쳐 우리 몸에 필요한 ☐☐를 공급합니다.

보기
•폐　　•수소
•눈　　•산소
•코　　•질소

1 다음과 같이 숨을 들이마시고 내쉬는 활동을 무엇이라고 합니까? ( )

▲ 숨을 들이마시는 모습

▲ 숨을 내쉬는 모습

① 소화   ② 호흡   ③ 배설

④ 근육   ⑤ 운동

2 다음은 호흡 기관의 모습을 나타낸 것입니다. 기관지는 어느 것인지 기호를 쓰시오.

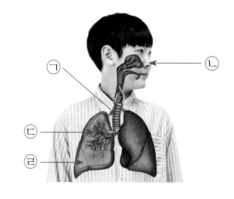

( )

3 다음 중 폐에 대한 설명으로 옳지 <u>않은</u> 것은 어느 것입니까? ( )

① 호흡 기관이다.

② 부풀어 있는 모양이다.

③ 가슴 부분에 한 개가 있다.

④ 몸 밖에서 들어온 산소를 받아들인다.

⑤ 몸 안에서 생긴 이산화 탄소를 몸 밖으로 내보낸다.

4 다음 보기 에서 호흡 기관에 해당하는 것을 두 가지 골라 기호를 쓰시오.

보기
ㄱ 뼈   ㄴ 코   ㄷ 식도
ㄹ 기관   ㅁ 항문   ㅂ 큰창자

(,   )

5 다음은 숨을 내쉴 때 공기가 이동하는 순서를 나타낸 것입니다. □ 안에 들어갈 알맞은 말을 쓰시오.

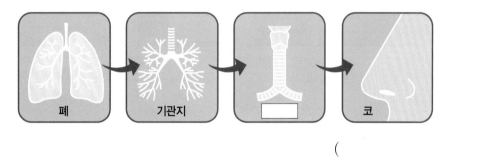

폐   →   기관지   →   [   ]   →   코

(   )

똑똑한 **하루 퀴즈**

6 다음 □ 안에 들어갈 알맞은 낱말을 말 상자에서 찾아 모두 ○표를 하세요. 말 상자의 낱말은 가로, 세로, 대각선에 숨어 있어요.

상	영	지	폐
호	✿	구	건
흡	착	기	술
입	위	✿	관

❶ 코와 폐는 □□에 관여하는 기관임.

❷ 코로 들이마신 공기가 □에 잘 전달되게 하기 위해 기관지는 여러 갈래로 갈라져 있음.

❸ 숨을 들이마실 때 공기는 코 → □□ → 기관지 → 폐를 거쳐 이동함.

순환 기관 / 배설 기관

  혈액 순환이 잘 돼야 건강해!

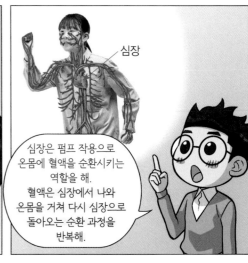

용어 체크

순환

혈액이 사람의 몸안을 되풀이하여 돎

예 사람은 혈액 ❶ [   ]이 잘 돼야 건강하다.

심장

주먹 모양으로 펌프 작용으로 혈액을 온몸으로 순환시키는 기관

예 심장이 빨리 뛰면 ❷ [   ]의 이동량이 많아진다.

정답 ❶ 순환 ❷ 혈액

배설 중이니까 좀 기다려줄래?

🐷 용어 체크

♀ 노폐물

우리 몸에서 에너지를 만들고 사용하는 과정에서 생긴 불필요한 찌꺼기

예 콩팥은 혈액에 있는 ❶⬚ 을 걸러 낸다.

♀ 배설

혈액에 있는 노폐물을 몸 밖으로 내보내는 과정

예 콩팥과 방광은 ❷⬚ 에 관여하는 배설 기관이다.

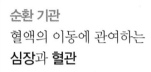
1 순환 기관의 종류와 하는 일을 알아볼까?

순환 기관의 종류와 하는 일

순환 기관
혈액의 이동에 관여하는
심장과 **혈관**

혈액이 이동하는 데
심장과 혈관은
어떤 일을 할까?

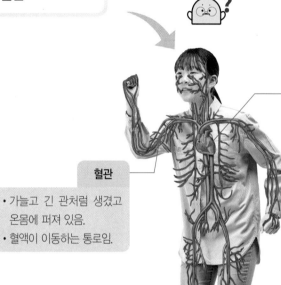

심장
· 주먹 모양으로 크기도 자신의 주먹만 함.
· 펌프 작용으로 혈액을 온몸으로 순환시킴.

심장은 몸통
가운데에서 왼쪽으로
약간 치우쳐 있어.

혈관
· 가늘고 긴 관처럼 생겼고
온몸에 퍼져 있음.
· 혈액이 이동하는 통로임.

혈액은 혈관을 따라 이동하며
우리 몸에 필요한 **영양소와
산소를** 온몸으로 운반함.

심장에서 나온 **혈액**은 **온몸을
거쳐 다시 심장으로** 돌아오는
순환 과정을 반복함.

심장이 뛰는 빠르기와 혈액의 관계

심장이 뛰는 빠르기	혈액이 이동하는 빠르기	혈액의 이동량
심장이 빨리 뛸 때	빨라짐.	많아짐.
심장이 느리게 뛸 때	느려짐.	적어짐.

☑ 혈액의 이동에 관여하는 ❶(심장 / 폐)과/와 혈관을 순환 기관이라고 합니다.

2 배설 기관의 종류와 하는 일을 알아볼까?

배설 기관
배설에 관여하는 **콩팥, 방광** 등을 말함.

↳ 혈액에 있는 노폐물을 몸 밖으로 내보내는 과정

콩팥이 기능을 제대로 하지 못하면 노폐물을 걸러 내지 못해 몸에 노폐물이 쌓이고 병에 걸리게 돼!

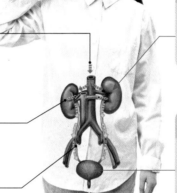

노폐물이 많은 혈액
온몸을 돌아 노폐물이 많아진 혈액이 콩팥으로 운반됨.

노폐물을 걸러 낸 혈액
콩팥을 거친 혈액은 노폐물이 걸러져 다시 순환함.

노폐물을 포함한 오줌

콩팥
강낭콩 모양으로 등허리 쪽에 두 개 있으며 혈액에 있는 노폐물을 걸러 냄.

방광
작은 공 모양으로 콩팥에서 걸러 낸 노폐물을 모아 두었다가 몸 밖으로 내보냄.

배설 과정
• 콩팥에서 혈액에 있는 노폐물을 걸러 냄.
• 노폐물이 걸러진 혈액은 다시 혈관을 통해 순환함.
• 걸러진 노폐물은 **오줌이 되어 방광에 저장**되었다가 관을 통해 몸 밖으로 나감.

☑ 배설 기관 중 혈액에 있는 노폐물을 걸러 내는 것은 ^②(방광 / **콩팥**)입니다.

정답 ❶ 심장 ❷ 콩팥

개념 체크

○ 정답과 풀이 13쪽

1 심장은 펌프 작용으로 ☐☐을 온몸으로 순환시킵니다.

2 혈액이 이동하는 통로를 ☐☐이라고 합니다.

3 콩팥과 방광은 ☐☐ 기관입니다.

보기
• 배설   • 혈관
• 순환   • 혈액

4
주

1 오른쪽은 순환 기관의 일부분의 모습입니다. 각 부분의 기호와
이름을 바르게 짝지은 것은 어느 것입니까? (　　　　)

① ㉠ – 폐

② ㉠ – 식도

③ ㉠ – 기관

④ ㉡ – 심장

⑤ ㉡ – 쓸개

2 다음은 혈액에 대한 설명입니다. □ 안에 들어갈 알맞은 말을 쓰시오.

혈액은 혈관을 따라 이동하며 우리 몸에 필요한 영양소와 □□□을/를 온몸으로
운반합니다.

(　　　　　　　　　　　)

3 다음을 심장이 뛰는 빠르기와 혈액의 이동량에 맞게 줄로 바르게 이으시오.

(1) ｜ 심장이 빨리 뛸 때 ｜ ·　　　　　· ㉠ ｜ 혈액의 이동량이 적어짐. ｜

(2) ｜ 심장이 느리게 뛸 때 ｜ ·　　　　　· ㉡ ｜ 혈액의 이동량이 많아짐. ｜

4 다음 중 배설 기관에 해당하는 것을 두 가지 고르시오. (　　　，　　　)

① 위　　　　　　　② 폐　　　　　　　③ 콩팥

④ 방광　　　　　　⑤ 작은창자

5 오른쪽은 우리 몸의 배설 기관을 나타낸 것입니다. 혈액에 있는 노폐물을 걸러 내는 부분의 기호를 쓰시오.

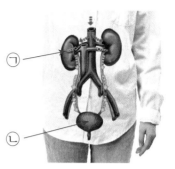

(   )

집중 연습 문제 심장

6 다음 중 심장에 대한 설명으로 옳은 것은 어느 것입니까?

(   )

① 강낭콩 모양이다.
② 음식물이 위로 이동하는 통로이다.
③ 좌우 한 쌍으로 부풀어 있는 모양이다.
④ 숨을 들이마시고 내쉬는 활동에 관여한다.
⑤ 몸통 가운데에서 왼쪽으로 약간 치우쳐 있다.

심장은 주먹 모양으로 크기도 자신의 주먹만 해.

7 다음 보기에서 심장이 하는 일에 대한 설명으로 옳은 것을 골라 기호를 쓰시오.

보기

㉠ 혈액에 있는 노폐물을 걸러 냅니다.
㉡ 소화되지 않은 음식물 찌꺼기를 배출합니다.
㉢ 펌프 작용으로 혈액을 온몸으로 순환시킵니다.

(   )

심장은 [   ]의 이동에 관여하는 순환 기관이야.

4일 감각 기관 / 운동할 때 몸에 나타나는 변화

 자극을 느껴볼까!

오오! 맛있는 피자!

그동안 냉장고 특성상 피자를 보관만 했지 제대로 맛본 적이 별로 없었어.

으음~ 코를 은은하게 자극하는 치즈 향! 손끝으로 느껴지는 따뜻한 기운!

후읍

혀로 느끼는 짭조름한 양념 맛! 온몸의 ♀ **감각 기관**이 잊혔던 먹는 즐거움을 떠올리게 한다!

먹기 시작!

어? 먹으려고요?

손가락으로 집적거리기만 해서 안 먹는 줄 알았어요.

끼야악

텅 텅 빵 빵

🐻 **용어 체크**

♀ **감각 기관**

주변으로부터 전달된 자극을 느끼고 받아들이는 우리 몸의 눈, 귀, 코, 혀, 피부와 같은 기관

예 과학자는 [　①　] 기관이나 돋보기, 현미경 등을 사용해 탐구하고자 하는 대상을 관찰한다.

▲ 냄새를 맡는 데 사용하는 감각 기관(코)

정답 ❶ 감각

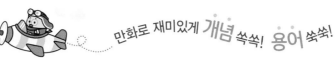
정답 ❶ 맥박

 장고 탐정의 맥박이 너무 빨리 뛰어.

 용어 체크

📍 **맥박**

심장이 뛰면서 혈액을 혈관(동맥) 쪽으로 밀어낼 때 혈관(동맥)도 같이 늘어났다 줄어들었다 하는 것을 되풀이하는 것

예 수업 시간에 발표하기 전에는 긴장하여 몸이 떨리고 심장이 빨리 뛰어서

❶ ☐☐도 빨라진다.

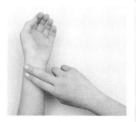
▲ 맥박을 재는 모습

1 감각 기관의 종류를 알아볼까?

주변으로부터 전달된 자극을 느끼고 받아들이는 기관

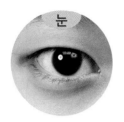

눈

주변의 사물을
볼 수 있음.

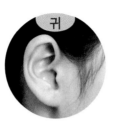

귀

소리를
들을 수 있음.

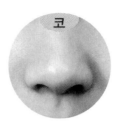

코

냄새를
맡을 수 있음.

혀

맛을
알 수 있음.

피부

온도와 촉감을
느낄 수 있음.

✓ 감각 기관에는 눈, 귀, ❶(코 / 위), 혀, 피부가 있습니다.

2 자극이 전달되고 반응하는 과정을 알아볼까?

예 날아오는 공을 잡을 때

앗, 공이다.

자극을 전달하는
신경계를 통한
자극 전달

신경계

잡을까?
피할까?

명령을 전달하는
신경계를 통한
명령 전달

잡자!

감각 기관	자극을 전달하는 신경계	행동을 결정하는 신경계	명령을 전달하는 신경계	운동 기관
날아오는 공을 봄.	공이 날아온다는 자극을 전달함.	공을 잡겠다고 결정함.	공을 잡으라는 명령을 운동 기관에 전달함.	공을 잡음.

자극이 전달되고
반응하는 과정
➡ 자극 → 감각 기관 → 자극을 전달하는 신경계 → 행동을 결정
하는 신경계 → 명령을 전달하는 신경계 → 운동 기관 → 반응

✓ 감각 기관이 받아들인 자극은 ❷(혈관 / 신경계)을/를 통해 전달되고, 신경계는 행동을 결정하여
운동 기관에 명령을 내립니다.

감각 기관 / 운동할 때 몸에 나타나는 변화

3 운동할 때 몸에 어떤 변화가 나타날까?

몸을 움직이려고 각 기관이 하는 일

운동 기관
영양소와 산소를 이용하여
몸을 움직임.

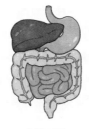

소화 기관
음식물을 소화해 영양소를
흡수함.

호흡 기관
우리 몸에 필요한 산소를 제공하고
이산화 탄소를 몸 밖으로 내보냄.

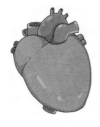

순환 기관
영양소와 산소를 온몸에 전달하고,
이산화 탄소와 노폐물을 각각
호흡 기관과 배설 기관으로 전달함.

배설 기관
혈액에 있는 노폐물을 걸러
내어 오줌으로 배설함.

감각 기관
주변의 자극을
받아들임.

운동을 하면 체온이
올라가고 땀이 나기도 하며
호흡과 맥박도 빨라져.

운동할 때 몸에 나타나는 변화

호흡이 빨라짐. ➡ 에너지를 내는 데 필요한 **산소를 많이 공급**할 수 있음.

심장 박동이 빨라짐. ➡ 혈액 순환이 빨라져 **많은 양의 산소와 영양소가 우리 몸에 공급**되어 에너지를 많이 낼 수 있음.

☑ 운동을 할 때 산소를 많이 공급하기 위해 호흡이 ^③(빨라 / 느려)집니다.

정답 ❶ 코 ❷ 신경계 ❸ 빨라

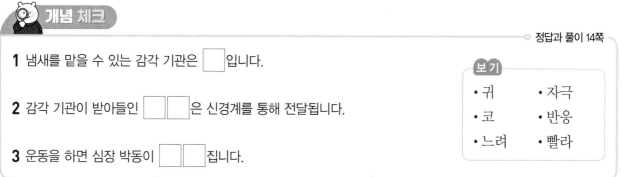

개념 체크

정답과 풀이 14쪽

1 냄새를 맡을 수 있는 감각 기관은 [ ]입니다.

2 감각 기관이 받아들인 [ ][ ]은 신경계를 통해 전달됩니다.

3 운동을 하면 심장 박동이 [ ][ ]집니다.

보기
• 귀   • 자극
• 코   • 반응
• 느려 • 빨라

1 다음 보기에서 감각 기관만 골라 바르게 짝지은 것은 어느 것입니까? (   )

보기
㉠ 위	㉡ 혀	㉢ 폐	㉣ 기관
㉤ 피부	㉥ 혈관	㉦ 심장	㉧ 큰창자

① ㉠, ㉧   ② ㉡, ㉤   ③ ㉢, ㉣

④ ㉤, ㉧   ⑤ ㉥, ㉦

2 다음을 각 감각 기관이 하는 일에 맞게 줄로 바르게 이으시오.

(1) 귀   •

(2) 코   •

(3) 눈   •

•㉠ 냄새를 맡을 수 있음.

•㉡ 주변의 사물을 볼 수 있음.

•㉢ 소리를 들을 수 있음.

3 다음은 자극이 전달되고 반응하는 과정을 나타낸 것입니다. ☐ 안에 공통으로 들어갈 알맞은 말을 쓰시오.

자극 → 감각 기관 → 자극을 전달하는 ☐ → 행동을 결정하는 ☐ → 명령을 전달하는 ☐ → 운동 기관 → 반응

(   )

감각 기관 / 운동할 때 몸에 나타나는 변화

4 다음 중 몸을 움직이기 위해 음식물을 소화해 영양소를 흡수하는 기관은 어느 것입니까?

( )

①
▲ 순환 기관

②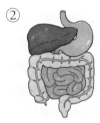
▲ 소화 기관

③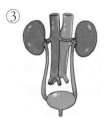
▲ 배설 기관

④
▲ 호흡 기관

5 다음 보기 에서 운동할 때 몸에 나타나는 변화로 옳지 <u>않은</u> 것을 골라 기호를 쓰시오.

보기
㉠ 땀이 나기도 합니다.
㉡ 호흡이 느려집니다.
㉢ 혈액 순환이 빨라집니다.
㉣ 심장 박동이 빨라집니다.

( )

똑똑한 하루 퀴즈

6 다음 □ 안에 들어갈 알맞은 낱말을 말 상자에서 찾아 모두 ○표를 하세요. 말 상자의 낱말은 가로, 세로, 대각선에 숨어 있어요.

노	면	★	소
감	시	보	리
자	각	산	★
★	도	장	소

❶ 주변으로부터 전달된 자극을 느끼고 받아들이는 기관. □□ 기관

❷ 감각 기관 중 귀는 □□를 들을 수 있음.

❸ 호흡이 빨라지면 에너지를 내는 데 필요한 □□를 많이 공급할 수 있음.

4
주

1 운동 기관 / 소화 기관

① 운동 기관
• 움직임에 관여하는 뼈와 근육을 말합니다.
• 뼈에 연결된 근육의 길이가 줄어들거나 늘어나면서 뼈가 움직입니다.

② 소화 기관

> 간, 쓸개, 이자처럼 소화를 도와주는 기관도 있어.

소화 기관	• 소화에 직접 관여하는 기관 • 입, 식도, 위, 작은창자, 큰창자, 항문 등이 있음.	입 식도 위 큰창자 작은창자 항문
소화 과정	입 → 식도 → 위 → 작은창자 → 큰창자 → 항문을 거쳐 음식물이 소화되고 음식물 찌꺼기를 배출함.	▲ 소화 기관

2 호흡 기관

호흡 기관	• 호흡에 관여하는 기관 • 코, 기관, 기관지, 폐 등이 있음.		코 기관 기관지 폐
공기의 이동	숨을 들이마실 때	코 → 기관 → 기관지 → 폐	
	숨을 내쉴 때	폐 → 기관지 → 기관 → 코	▲ 호흡 기관

3 순환 기관 / 배설 기관

① 순환 기관

> 혈액은 영양소와 산소를 온몸으로 운반해.

순환 기관	• 혈액의 이동에 관여하는 기관 • 심장과 혈관이 있음.	심장 혈관
혈액의 순환 과정	펌프 작용으로 심장에서 나온 혈액은 혈관을 따라 온몸을 거친 다음에 심장으로 돌아오는 과정을 반복함.	▲ 순환 기관

② 배설 기관

배설 기관	• 배설에 관여하는 기관 • 콩팥, 방광 등이 있음.
배설 과정	콩팥에서 혈액의 노폐물을 걸러 내어 오줌을 만들고 방광에 일정량의 오줌이 모이면 몸 밖으로 내보냄.

콩팥

방광

▲ 배설 기관

4 감각 기관 / 운동할 때 몸에 나타나는 변화

감각 기관에는 눈, 귀, 코, 혀, 피부가 있어.

① 감각 기관 : 주변으로부터 전달된 자극을 느끼고 받아들이는 기관

눈	귀	코	혀	피부
주변의 사물을 볼 수 있음.	소리를 들을 수 있음.	냄새를 맡을 수 있음.	맛을 알 수 있음.	온도와 촉감을 느낄 수 있음.

② 운동할 때 몸에 나타나는 변화

호흡이 빨라짐.	에너지를 내는 데 필요한 산소를 많이 공급할 수 있음.
심장 박동이 빨라짐.	혈액 순환이 빨라져 많은 양의 산소와 영양소가 우리 몸에 공급되어 에너지를 많이 낼 수 있음.

과학 칼럼

소화를 도와주는 기관은 소화에 어떤 도움을 줄까?

지방의 분해를 돕는 쓸개즙을 만들고 우리 몸에 있는 해로운 독소를 분해하고 해로운 세균을 없애요.

간 아래쪽에 붙어 있는 작은 주머니로, 간에서 만든 쓸개즙을 저장해요.

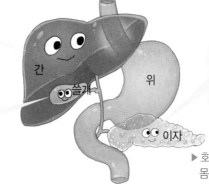

간

쓸개

위

이자

작은창자에 연결되어 있고 여러 가지 소화 효소와
▶ 호르몬을 내보내요.

▶ 호르몬 : 우리 몸에서 분비되는 물질로, 몸속을 돌며 다른 기관이나 조직이 활동 하는 것을 도와주거나 억제하는 물질

4
주

1일 운동 기관 / 소화 기관

1 다음 보기 에서 뼈와 근육에 대한 설명으로 옳지 <u>않은</u> 것을 골라 기호를 쓰시오.

보기

㉠ 뼈가 움직이며 근육을 당기거나 밀어냅니다.
㉡ 뼈는 몸을 지지하고 몸의 형태를 만들어 줍니다.
㉢ 뼈와 근육이 있어서 다양한 자세로 움직일 수 있습니다.

(   )

2 다음 중 움직임에 관여하는 뼈와 근육을 무엇이라고 합니까? (   )

① 배설 기관   ② 소화 기관

③ 감각 기관   ④ 운동 기관

⑤ 호흡 기관

서술형

3 다음은 우리 몸의 소화 기관의 모습입니다. 음식물이 소화되는 과정을 쓰시오.

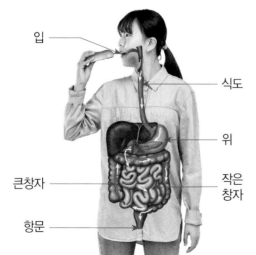

_____

_____ 을/를
거쳐 음식물이 소화되고 음식물 찌꺼기를
배출한다.

◦ 정답과 풀이 15쪽

2일 호흡 기관

4 오른쪽은 우리 몸의 호흡 기관을 나타낸 것입니다. ㈎ 부분의
이름은 무엇인지 쓰시오.

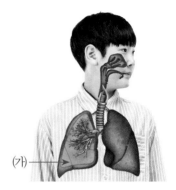

(   )

4주

5 다음 보기 에서 위 **4**번 답 부분에 대한 설명으로 옳은 것을 골라 기호를 쓰시오.

> 보기
> ㉠ 혈액 속에 있는 노폐물을 걸러 냅니다.
> ㉡ 몸 밖에서 들어온 산소를 받아들입니다.
> ㉢ 입에서 삼킨 음식물을 위로 이동시킵니다.

(   )

6 다음 중 숨을 들이마실 때 공기가 이동하는 순서를 바르게 나타낸 것은 어느 것입니까?

(   )

① 코 → 기관지 → 기관 → 폐
② 코 → 기관 → 기관지 → 폐
③ 기관 → 기관지 → 코 → 폐
④ 폐 → 기관지 → 기관 → 코
⑤ 폐 → 기관 → 코 → 기관지

3일 순환 기관 / 배설 기관

7 다음 중 혈관에 대한 설명으로 옳지 <u>않은</u> 것은 어느 것입니까? (   )

① 순환 기관이다.
② 온몸에 퍼져 있다.
③ 가늘고 긴 관처럼 생겼다.
④ 혈액이 이동하는 통로이다.
⑤ 펌프 작용으로 혈액을 온몸으로 순환시킨다.

8 다음은 혈액의 순환 과정을 나타낸 것입니다. ☐ 안에 공통으로 들어갈 알맞은 말을 쓰시오.

> ☐에서 나온 혈액은 온몸을 거쳐 다시 ☐으로 돌아오는 순환 과정을 반복합니다.

(   )

9 다음을 우리 몸속에서 배설이 일어나는 과정에 맞게 순서대로 기호를 쓰시오.

> ㉠ 오줌이 관을 통해 몸 밖으로 나갑니다.
> ㉡ 콩팥에서 혈액에 있는 노폐물이 걸러집니다.
> ㉢ 걸러진 노폐물은 오줌이 되어 방광에 저장됩니다.

(   ) → (   ) → (   )

4일 감각 기관 / 운동할 때 몸에 나타나는 변화

10 다음 중 소리를 들을 때 자극을 받아들이는 감각 기관은 어느 것입니까? (   )

① 눈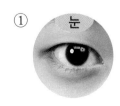
② 코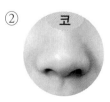
③ 귀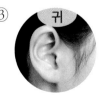
④ 피부

11 다음을 시끄러운 소리가 나서 귀를 막는 상황에서 자극과 반응에 해당하는 것에 맞게 줄로 바르게 이으시오.

(1) 자극 •　　　　　　　　　• ㉠ 귀를 막음.

(2) 반응 •　　　　　　　　　• ㉡ 시끄러운 소리를 들음.

12 다음 보기 에서 몸을 움직이기 위해 우리 몸에 필요한 산소를 제공하고 이산화 탄소를 몸 밖으로 내보내는 기관을 골라 기호를 쓰시오.

보기
㉠ 운동 기관　　　　㉡ 호흡 기관　　　　㉢ 배설 기관　　　　㉣ 감각 기관

(　　　　　　　　　　)

똑똑한 하루 퀴즈

13 다음 십자말풀이를 해 보세요.

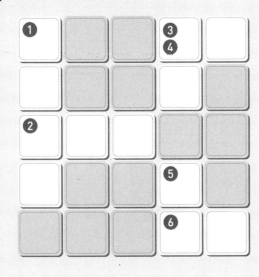

➡가로
❷ 기관과 폐 사이를 이어주는 호흡 기관
❸ 심장은 펌프 작용으로 □□을 순환시킴.
❻ 큰창자와 작은창자는 □□ 기관에 해당됨.

⬇세로
❶ 주변으로부터 전달된 자극을 느끼고 받아들이는 기관
❹ 혈액이 이동하는 통로
❺ 폐는 몸 밖에서 들어온 □□를 받아들임.

1 다음을 읽고 뼈와 근육에 대한 설명으로 옳은 것에는 ○표, 옳지 않은 것에는 ×표를 하시오.

(1) 뼈의 모양은 다양합니다. 　(　)

(2) 움직임에 관여하는 운동 기관입니다. 　(　)

(3) 근육은 뼈에 연결되어 있어 몸을 움직이게 합니다. 　(　)

(4) 뼈가 스스로 움직이기 때문에 우리가 몸을 움직일 수 있습니다. 　(　)

2 다음 중 소화에 직접 관여하지 않고 소화를 도와주는 기관은 어느 것입니까? (　)

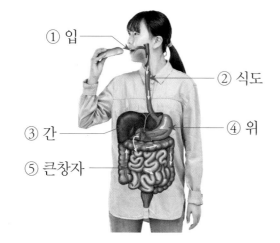

① 입
② 식도
③ 간
④ 위
⑤ 큰창자

3 다음은 소화 기관 중 작은창자에 대한 설명입니다. □ 안에 들어갈 알맞은 말을 쓰시오.

작은창자는 소화를 돕는 액체를 분비하여 음식물을 잘게 분해하고 □을/를 흡수합니다.

(　)

4 다음 중 호흡 기관 각 부분의 기호와 이름이 바르게 짝지어지지 <u>않은</u> 것은 어느 것입니까?

(　)

① 기관
② 코
③ 혈관
④ 폐

5 다음을 숨을 들이마실 때와 내쉴 때 공기의 이동에 맞게 줄로 바르게 이으시오.

(1)

▲ 숨을 들이마실 때

• ㉠

코
↑
기관
↑
기관지
↑
폐

(2)

▲ 숨을 내쉴 때

• ㉡

코
↓
기관
↓
기관지
↓
폐

6 다음은 우리 몸의 순환 기관이 하는 일을 나타낸 것입니다. □ 안에 공통으로 들어갈 말을 쓰시오.

심장
펌프 작용으로 □을/를 온몸으로 순환시킴.

혈관
□이/가 이동하는 통로임.

( )

7 다음은 우리 몸의 어떤 기관의 모습을 나타낸 것입니까? ( )

콩팥

방광

① 호흡 기관
② 순환 기관
③ 감각 기관
④ 소화 기관
⑤ 배설 기관

8 다음 보기에서 감각 기관과 관련된 행동으로 옳은 것을 골라 기호를 쓰시오.

보기
㉠ 눈 : 진희는 음료수의 맛을 보았습니다.
㉡ 코 : 민수는 식초에서 시큼한 냄새를 맡았습니다.
㉢ 귀 : 효린이는 고양이 털이 부드럽다고 느꼈습니다.

( )

9 다음 중 감각 기관이 받아들인 자극은 온몸에 퍼져 있는 무엇을 통해 전달됩니까? ( )

① 혈관
② 방광
③ 피부
④ 신경계
⑤ 기관지

10 다음을 우리 몸의 각 기관이 몸을 움직이려고 할 때 하는 일에 맞게 줄로 바르게 이으시오.

(1) 운동 기관 •
• ㉠ 주변의 자극을 받아들임.

(2) 소화 기관 •
• ㉡ 영양소와 산소를 이용하여 몸을 움직임.

(3) 감각 기관 •
• ㉢ 음식물을 소화해 영양소를 흡수함.

4
주

생활 속 과학

4주 특강

만화를 통해 성장판과 키가 잘 자랄 수 있는 방법을 알아봅니다.

뼈가 자라게 하는 성장판!

성장판?

위험해! 그러다가 성장판이 다치면 어쩌려고 그래.

우리의 몸에서 손가락뼈, 팔뼈, 다리뼈 등의 끝부분에 있는 뼈가 자라는 장소를 성장판이라고 해.

성장판

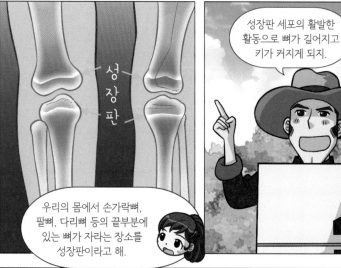

성장판 세포의 활발한 활동으로 뼈가 길어지고 키가 커지게 되지.

성장기가 지나면 성장판이 닫혀 뼈가 더 이상 자라지 않는다고.

하마터면 꼬꼬마로 남을 뻔 했잖아.

성장판이 잘 활동하게 하려면 규칙적으로 운동을 하는 게 좋아.

달리기, 줄넘기, 배구, 농구 등이 성장판이 잘 활동하는 데 도움을 주지.

그리고 성장기에 있는 어린이들은 일정한 시간에 자고 하루에 8시간 정도는 잠을 자야 자는 동안 성장 호르몬이 활발하게 분비돼.

어서 키크자

운동을 한번에 몰아서 하면 되니, 꾸준히 해야지!

1 사다리를 타고 내려가 성장판에 대해 바르게 말한 친구를 찾아 이름을 쓰세요.

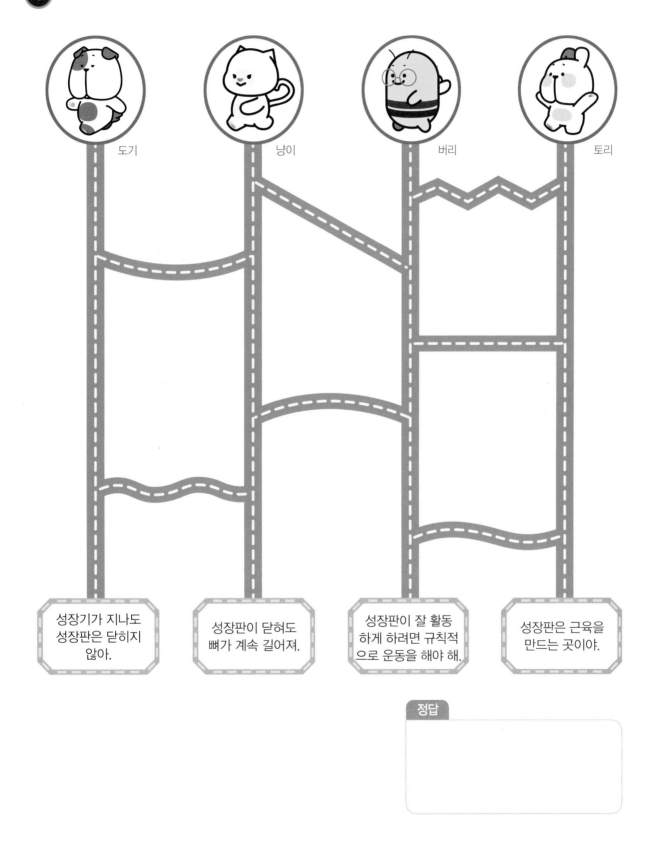

도기

냥이

버리

토리

성장기가 지나도 성장판은 닫히지 않아.

성장판이 닫혀도 뼈가 계속 길어져.

성장판이 잘 활동 하게 하려면 규칙적 으로 운동을 해야 해.

성장판은 근육을 만드는 곳이야.

정답

사고 쑥쑥

소화 기관과 음식물이 소화되는 과정을 알아봅니다.

2 승희가 좀비에게 쫓기고 있어요. 다음 미로에서 음식물이 소화되는 과정에 맞게 비석을 지나가야만 출구의 문이 열려요. 승희가 무사히 탈출할 수 있도록 길을 찾아 이어 주세요.

우리 몸에서 정수기와 같이 거름 장치 역할을 하는 기관을 알아봅니다.

3 다음 만화를 읽고 우리 몸에서 정수기와 같은 역할을 하는 기관은 어느 것인지 기호를 쓰세요.

4주특강

논리 탄탄

코딩을 통해 숨을 내쉴 때 몸속에서 공기의 이동을 알아봅니다.

4 다음 코딩판에서 버리가 출발해서 사람이 숨을 내쉴 때 몸속에서 공기가 이동하는 순서대로 지나가도록 코딩을 바르게 한 친구의 이름을 쓰세요.

[코딩 명령어]

↓ 아래로 한 칸 이동　　　　　↑ 위로 한 칸 이동

← 왼쪽으로 한 칸 이동　　　　→ 오른쪽으로 한 칸 이동

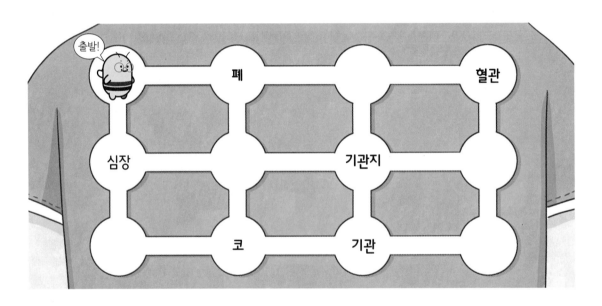

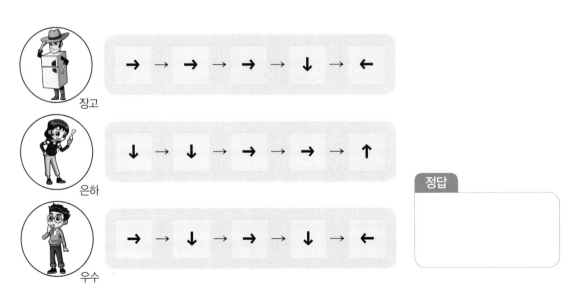

5 다음 코딩 명령어를 보고 순서대로 코딩을 실행했을 때 냥이가 도착하는 칸에 있는 기관은 사람의 몸속에서 어떤 기관에 해당하는지 보기 에서 골라 ○표 하세요.

[코딩 명령어]

↓ 아래로 한 칸 이동　　　　　↑ 위로 한 칸 이동

← 왼쪽으로 한 칸 이동　　　　→ 오른쪽으로 한 칸 이동

[코딩 순서]

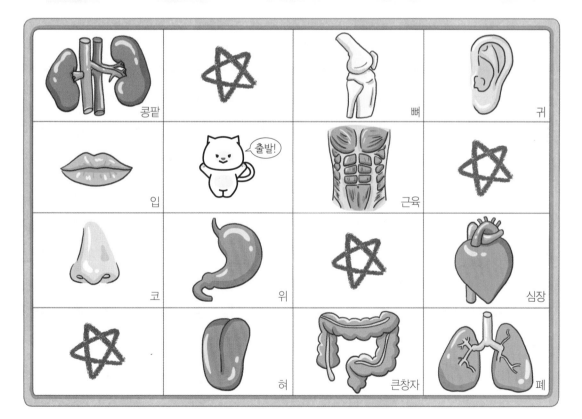

보기

| 운동 기관 | 순환 기관 | 배설 기관 | 소화 기관 |

여러 가지 실험 기구

▲ 전지

▲ 전구

▲ 집게 달린 전선

▲ 삼발이

▲ 구리판 ▲ 아연판

▲ 집기병

▲ 알코올램프

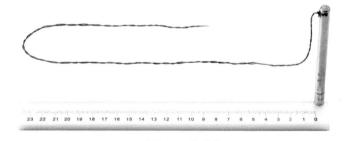

▲ 태양 고도 측정기

▲ 지구의

▲ 갓 없는 전등

▲ 전동기

▲ 태양 전지

기초 학습능력 강화 프로그램

매일 조금씩 **공부력 UP**

똑똑한 하루
독해&어휘

쉽다!

10분이면 하루치 공부를 마칠 수 있는
커리큘럼으로, 아이들이 쉽고 재미있게
독해&어휘에 접근할 수 있도록 구성

재미있다!

교과서는 물론 생활 속에서 쉽게
접할 수 있는 다양한 소재를 활용해
흥미로운 학습 유도

똑똑하다!

초등학생에게 꼭 필요한 상식과 함께
창의적 사고력 확장을 돕는
게임 형식의 구성으로 독해력&어휘력 학습

공부의 핵심은 독해!
예비초~초6 / 총 6단계, 12권

독해의 시작은 어휘!
예비초~초6 / 총 6단계, 6권

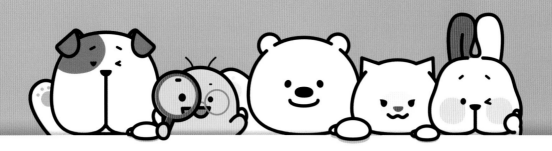

⚔ 쉽다!

10분이면 하루치 공부를 마칠 수 있는 커리큘럼으로,
아이들이 초등 학습에 쉽고 재미있게 접근할 수 있도록 구성하였습니다.

🧩 재미있다!

교과서는 물론 생활 속에서 쉽게 접할 수 있는 다양한 소재와
재미있는 게임 형식의 문제로 흥미로운 학습이 가능합니다.

📖 똑똑하다!

초등학생에게 꼭 필요한 학습 지식 습득은 물론
창의력 확장까지 가능한 교재로 올바른 공부습관을 가지는 데 도움을 줍니다.

정답과 풀이

똑똑한
하루
과학

6-2

정답과 풀이

1주 전기의 이용

1일 전지의 연결 방법에 따른 전구의 밝기

13쪽 개념 체크

1 전류   **2** 도체   **3** 같은

14~15쪽 개념 확인하기

1 전기 회로   **2** 예담   **3** ⑤   **4** ④, ⑤
5 (1) ⓒ (2) ⊙   **6** (2)

똑똑한 하루 퀴즈

7

전	류	★	부
유	★	도	구
리	체	★	리
직	렬	연	결

❶ 전류 ❷ 구리 ❸ 부도체 ❹ 직렬연결

1 전지, 전선, 전구 등 전기 부품을 서로 연결해 전기가 흐르도록 한 것을 전기 회로라고 합니다.

2 전류는 전기 회로에 흐르는 전기를 말합니다.

3 스위치에서 전류가 잘 흐르는 부분은 도체입니다.

> **【 왜 틀렸을까? 】**
> ①, ②, ③, ④는 전기가 잘 흐르지 않는 물질인 부도체로 이루어져 있습니다.

4 전기 회로에서 전구에 불이 켜지려면 전지, 전선, 전구가 끊기지 않게 연결하고 전구는 전지의 (+)극과 (−)극에 각각 연결합니다. 또 전기 부품의 도체끼리 연결하고 스위치를 닫습니다.

5 (1)은 전지 두 개를 서로 같은 극끼리 연결하는 방법인 전지의 병렬연결이고, (2)는 전지 두 개를 서로 다른 극끼리 연결하는 방법인 전지의 직렬연결입니다.

6 전지를 직렬연결한 전기 회로의 전구가 전지를 병렬연결한 전기 회로의 전구보다 더 밝습니다.

7 ❶ 전기 회로에서 전류는 전지의 (+)극에서 (−)극으로 흐릅니다.
❷ 철, 구리, 알루미늄, 흑연 등은 도체입니다.
❸ 전류가 잘 흐르지 않는 물질을 부도체라고 합니다.
❹ 전지 두 개를 직렬연결한 전기 회로의 전구가 전지 두 개를 병렬연결한 전기 회로의 전구보다 더 밝습니다.

2일 전구의 연결 방법에 따른 전구의 밝기

19쪽 개념 체크

1 한   **2** 전구   **3** 병렬

20~21쪽 개념 확인하기

1 (1) ⊙ (2) ⓒ   **2** (나)   **3** ⓒ
4 ⓒ   **5** (1) ○

똑똑한 하루 퀴즈

6

병	★	밝	음
★	렬	★	어
직	★	꺼	두
렬	짐	★	움

❶ 직렬 ❷ 밝음 ❸ 병렬

1 (가) 전기 회로는 전구 두 개를 한 줄로 연결하는 방법이고, (나) 전기 회로는 전구 두 개를 각각 다른 줄에 나누어 한 개씩 연결하는 방법입니다.

2 (가) 전기 회로는 전구의 직렬연결이고, (나) 전기 회로는 전구의 병렬연결입니다.

3 전구 두 개를 병렬연결한 전기 회로의 전구가 전구 두 개를 직렬연결한 전기 회로의 전구보다 더 밝습니다.

4 ⓒ 전기 회로는 전구의 직렬연결로 전구의 밝기가 나머지 전기 회로의 전구보다 어둡습니다.

5 전구 두 개를 직렬연결한 전기 회로에서 한 전구의 불이 꺼지면 나머지 전구 불이 꺼집니다.

6 ① 전구 두 개가 한 줄에 연결되어 있는 것은 전구 두 개를 직렬로 연결한 것입니다.
② 전구 두 개를 병렬연결한 전기 회로의 전구가 전구 두 개를 직렬연결한 전기 회로의 전구보다 더 밝습니다.
③ 장식용 나무에 설치된 전구 중 일부만 불이 켜져 있다면 불이 켜진 전구와 불이 꺼진 전구는 병렬연결되어 있습니다.

3일 전류가 흐르는 전선 주위의 나침반

25쪽 개념 체크

1 반대   **2** 자석   **3** 직렬

26~27쪽 개념 확인하기

1 ㉠   **2** (2) ○   **3** 전류   **4** ④
5 ㉢, ㉣

똑똑한 하루 퀴즈

6

원	전	류	바
래	✿	늘	자
✿	반	✿	석
진	기	대	✿

① 전류 ② 반대 ③ 자석

풀이

1 전기 회로의 전선을 나침반 위에 놓고 스위치를 닫으면 나침반 바늘이 움직입니다.

2 전지의 극을 반대로 연결하면 나침반 바늘이 처음과 반대 방향으로 움직입니다.

3 전지의 극을 반대로 연결해 전류가 흐르는 방향을 바꾸면 나침반 바늘이 움직이는 방향도 바뀝니다.

4 전류가 흐르는 전선 주위에서 나침반 바늘이 움직이는 것은 전류가 흐르는 전선 주위에 자석의 성질이 나타나 나침반 바늘에 영향을 주었기 때문입니다.

5 전류가 흐르는 전선 주위에서 나침반 바늘의 움직임에 영향을 주는 것은 전선과 나침반의 거리, 전기 회로에서 직렬연결한 전지의 개수 등입니다.

(왜 틀렸을까?)
㉠ 전지의 극을 반대로 연결하면 나침반 바늘이 움직이는 방향이 바뀝니다.
㉡ 전지 여러 개를 직렬로 연결해야 나침반 바늘이 더 크게 움직입니다.

6 ① 전류가 흐르는 전선을 나침반 가까이 가져가면 나침반 바늘이 움직입니다.
② 전지의 극을 반대로 연결하고 전기 회로의 스위치를 닫았을 때 나침반 바늘이 반대 방향으로 움직입니다.
③ 전선 주위에서 나침반 바늘이 움직이는 까닭은 전류가 흐르는 전선 주위에 자석의 성질이 나타나기 때문입니다.

4일 전자석의 성질 / 전기의 안전과 절약

31쪽 개념 체크

1 전자석   **2** 선풍기   **3** 감전

32~33쪽 개념 확인하기

1 (1) ○   **2** (1) ㉡ (2) ㉠   **3** ㉡
4 (1) 안전 (2) 위험

집중 연습 문제

5 ㉣   • 전자석의 세기 : 직렬연결된 전지의 개수
      • 전자석의 극 : 전류가 흐르는 방향

6 ③

풀이

1 전자석은 스위치를 닫아 전류가 흐를 때에만 자석의 성질이 나타나므로 시침바늘이 전자석에 붙습니다.

2 직렬연결한 전지의 개수가 많을수록 시침바늘이 전자석에 많이 붙습니다.

3 전지의 극을 반대로 하여 전자석에 흐르는 전류의 방향이 바뀌었으므로 전자석의 극도 바뀝니다.

4 전기를 안전하게 사용하려면 콘센트 한 개에 플러그 여러 개를 꽂아서 사용하지 않습니다.

5 전자석은 전류가 흐를 때에만 자석의 성질이 나타납니다.

6 선풍기, 스피커, 전자석 기중기, 자기 부상 열차 등은 전자석을 이용한 예입니다.

5일 1주 마무리하기

36~39쪽 마무리하기 문제

1 ③　　　　**2** 전구　　　　**3** ④　　　　**4** >
5 ㉠, ㉢　　**6** ㉡　　　　**7** ①
8 (1) ㉡ (2) 예 직렬로 연결된 전지의 개수를 다르게 하면 전자석의 세기를 조절할 수 있다.
9 (2) ○　　**10** ㉢　　　　**11** ㉢

똑똑한 하루 퀴즈

12

풀이

1 철, 구리는 도체이고, 나무, 비닐은 부도체입니다.

2 전기 회로에서 전구에 불이 켜지려면 전지, 전선, 전구가 끊기지 않게 연결하고, 전구는 전지의 (+)극과 (−)극에 각각 연결해야 하며, 전기 부품의 도체끼리 연결해야 합니다.

3 ④는 전지 두 개를 직렬연결한 전기 회로이고, 나머지는 전지 두 개를 병렬연결한 전기 회로입니다.

4 전지 두 개를 직렬연결한 전기 회로의 전구가 전지 두 개를 병렬연결한 전기 회로의 전구보다 더 밝습니다.

5 ㉡은 전구의 병렬연결입니다.

6 ㉡ 전기 회로에서 한 전구의 불이 꺼져도 나머지 전구 불이 꺼지지 않습니다.

7 전지의 극을 반대로 연결해 전류가 흐르는 방향을 바꾸어 주면 나침반 바늘이 반대 방향으로 움직입니다.

8 전자석에 전지 한 개를 연결했을 때보다 전지 두 개를 직렬로 연결했을 때 전자석의 세기가 세기 때문에 시침바늘이 전자석에 더 많이 붙습니다.

【 인정 답안 】
전지를 직렬연결한다는 내용과 전지의 개수를 달리한다는 내용이 있으면 정답으로 인정합니다.

> 인정 답안의 예
> • 직렬연결된 전지의 개수를 늘리면 전자석의 세기가 세진다. 등

9 전자석은 영구 자석과 달리 전자석에 흐르는 전류의 방향이 바뀌면 전자석의 극이 바뀝니다.

10 우리 생활에서 전자석을 이용한 예에는 선풍기, 스피커, 전자석 기중기, 자기 부상 열차, 세탁기, 헤드폰 등이 있습니다.

11 사용하지 않는 콘센트는 덮개를 끼워 놓습니다.

12 ❶은 전기 부품, ❷는 부도체, ❸은 전자석, ❹는 병렬, ❺는 자석, ❻은 직렬입니다.

1주 | TEST+특강

40~41쪽 누구나 100점 TEST

1 ㉠　　　**2** ③　　　**3** ②, ④　　**4** ③
5 ㉢　　　**6** ④　　　**7** ⑤　　　**8** ㉠ S ㉡ N
9 ㉠, ㉣　　**10** (1) ○ (2) × (3) × (4) ○

풀이

1 전기 회로에서 전구에 불이 켜지려면 전지, 전선, 전구가 끊기지 않게 연결하고, 전구는 전지의 (+)극과 (−)극에 각각 연결합니다.

2 도체에는 철, 구리, 알루미늄, 흑연 등이 있습니다.

3 ㉠은 전지 두 개를 병렬연결한 전기 회로이고, ㉡은 전지 두 개를 직렬연결한 전기 회로입니다.

4 ①, ②, ④는 전구의 병렬연결이고, ③은 전구의 직렬 연결입니다.

5 전지의 극을 반대로 연결해 전류의 방향을 바꾸어 주면 나침반 바늘이 반대 방향으로 움직입니다.

6 전류가 흐르는 전선 주위에 자석의 성질이 나타나기 때문에 나침반 바늘이 움직입니다.

7 전지 두 개를 직렬로 연결했을 때 전자석에 시침 바늘이 더 많이 붙습니다. 따라서 직렬로 연결된 전지의 개수를 다르게 하면 전자석의 세기를 조절할 수 있음을 알 수 있습니다.

8 ㉠은 나침반 바늘의 N극을 끌어당기므로 S극이고, ㉡은 나침반 바늘의 S극을 끌어당기므로 N극입니다.

9 스피커, 자기 부상 열차는 전자석을 이용한 것입니다.

10 문을 닫고 냉방 기구를 켜며, 플러그를 뽑을 때에는 전선을 잡아당기지 않습니다.

43쪽   생활 속 과학 융합

❶ ③

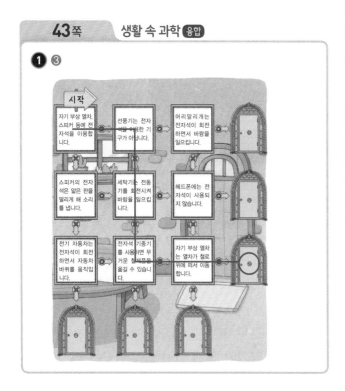

풀이

❶ 선풍기는 전자석의 성질을 이용해 전동기에 날개를 부착해 전동기를 회전시켜 바람을 일으킵니다. 세탁 기는 전자석을 이용한 전기 제품입니다.

44~45쪽   사고 쑥쑥 창의

❷ ㉠ 전지의 직렬연결 ㉡ 전지의 병렬연결

❸ (1) ㉠ (나) (2) ㉡ (가)

풀이

❷ 리모컨은 전지가 직렬연결된 모습이고, 마우스는 전지가 병렬연결된 모습입니다.

❸ 장식용 나무에 설치된 불이 켜진 전구와 불이 꺼진 전구는 병렬로 연결되어 있습니다.

46~47쪽   논리 탄탄 코딩

❹ 전자석은 전류가 흐를 때에만 자석의 성질이 나타난다.

```
          시작
           │
     ┌───────────┐
     │ 만든 전자석과  │
     │  시침바늘을   │
     │  준비합니다.   │
     └───────────┘
           │
   ┌─────────────────┐
   │ 스위치를 닫고 전자석의 끝부분을 │
   │ 시침바늘에 가까이 가져갑니다.  │
   └─────────────────┘
           │
   예  ◇ 시침바늘이  ◇  아니요
  ┌──── 붙습니까? ────┐
  │                 │
┌─────────┐      ┌─────────┐
│ '전자석은 전류가  │      │ '전자석은 전류의 영향을 │
│ 흐를 때에만 자석의 │      │ 받지 않는다.'를 답으로 │
│ 성질이 나타난다.'를 │      │   씁니다.      │
│ 답으로 씁니다.   │      └─────────┘
└─────────┘           │
        └──────┬──────┘
             끝
```

❺ 6

풀이

❹ 스위치를 닫지 않았을 때에는 시침바늘이 전자석에 붙지 않고 스위치를 닫을 때에만 시침바늘이 전자 석에 붙습니다. 따라서 전자석은 전류가 흐를 때에만 자석의 성질이 나타난다는 것을 알 수 있습니다.

❺ 물 묻은 손으로 전기 제품을 만지지 않도록 합니다. 냉장고 문을 열어 놓고 물을 마시지 않습니다. 선풍기 등의 사용하지 않는 전기 제품은 플러그를 뽑아 놓습 니다. 전선을 길게 늘어뜨려 사용하지 않습니다.

2주 계절의 변화

1일 하루 동안 태양 고도 , 그림자 길이, 기온의 관계

55쪽 개념 체크

1 태양	2 높	3 다릅

56~57쪽 개념 확인하기

1 ㉡ 2 ⑤ 3 ㉢ 4 ②, ④

집중 연습 문제

5 ㉡   예 지표면   6 ㉡

풀이

1 태양이 남중했을 때 하루 중 태양 고도가 가장 높습니다. 우리나라에서 태양 고도는 낮 12시 30분 무렵에 가장 높습니다.

2 하루 중 태양이 정남쪽에 위치하면 태양이 남중했다고 하고, 태양이 남중했을 때의 고도를 태양의 남중 고도라고 합니다.

> **왜 틀렸을까?**
> ㉠ 태양이 남중했을 때 그림자는 정북쪽을 향합니다.
> ㉡ 태양이 남중했을 때 그림자 길이는 하루 중 가장 짧습니다.

3 ㉠은 하루 동안 그림자 길이 그래프, ㉡은 하루 동안 기온 그래프, ㉢은 하루 동안 태양 고도 그래프입니다.

4 태양 고도가 높아지면 그림자 길이는 짧아지고, 기온은 높아집니다.

5 태양 고도는 태양이 지표면과 이루는 각입니다.

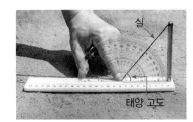

▲ 그림자 끝과 막대기의 실이 이루는 각을 측정함.

2일 계절별 태양의 남중 고도와 낮의 길이

61쪽 개념 체크

1 여름	2 겨울	3 짧아

62~63쪽 개념 확인하기

1 (1) ㉡ (2) ㉠   2 ㉢
3 (가) 여름 (나) 겨울   4 ⑤   5 ①, ④

똑똑한 하루 퀴즈

❶ 여름 ❷ 가을 ❸ 겨울 ❹ 낮의 길이

풀이

1 여름에는 낮에 햇빛이 교실 안까지 많이 들어오지 않았지만, 겨울에는 낮에 햇빛이 교실 안까지 많이 들어왔습니다.

2 계절별 태양의 위치 변화 모습에서 ㉠은 여름, ㉡은 봄, 가을, ㉢은 겨울의 모습입니다.

3 태양의 남중 고도는 여름에 가장 높고, 겨울에 가장 낮습니다.

4 태양의 남중 고도는 6~7월에 가장 높고, 12~1월에 가장 낮습니다.

5 여름에는 태양의 남중 고도가 높고 낮의 길이가 길며, 겨울에는 태양의 남중 고도가 낮고 낮의 길이가 짧습니다.

> **왜 틀렸을까?**
> ② 여름에는 태양의 남중 고도가 높고, 낮의 길이가 깁니다.
> ③ 겨울에는 태양의 남중 고도가 낮고, 낮의 길이가 짧습니다.
> ⑤ 태양의 남중 고도와 낮의 길이는 계절별 기온에 영향을 줍니다.

6
① 태양의 남중 고도는 여름에 가장 높습니다.
② 봄, 가을의 태양의 남중 고도는 여름과 겨울의 중간 정도입니다.
③ 낮의 길이가 가장 짧은 계절은 겨울입니다.
④ 태양의 남중 고도가 높아지면 낮의 길이가 길어집니다.

3일 계절에 따라 기온이 달라지는 까닭

67쪽 개념 체크

1 높 **2** 낮 **3** 태양

68~69쪽 개념 확인하기

1 ④ **2** (1) ⓒ (2) ⓐ (3) ⓑ **3** 예 클
4 ⓒ

집중 연습 문제

5 ⓐ **6** ⑤ 많이, 높아

풀이

1 태양의 남중 고도에 따른 기온 변화를 알아보는 실험에서 다르게 해야 할 조건은 전등과 모래가 이루는 각입니다.

2 전등은 태양, 모래는 지표면, 전등과 모래가 이루는 각은 태양의 남중 고도를 의미합니다.

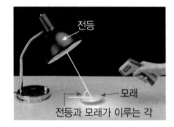

전등
모래
전등과 모래가 이루는 각

3 전등과 모래가 이루는 각이 작을 때보다 전등과 모래가 이루는 각이 클 때 모래의 온도가 더 많이 올라갑니다.

4 태양의 남중 고도가 높을수록 기온이 높아집니다.

5 여름에는 태양의 남중 고도가 높고, 겨울에는 태양의 남중 고도가 낮습니다.

6 태양의 남중 고도가 높아져 일정한 면적의 지표면에 도달하는 태양 에너지양이 많아지면 지표면이 더 많이 데워져 기온이 올라갑니다.

4일 계절의 변화가 생기는 까닭

73쪽 개념 체크

1 수직 **2** 같은 **3** 계절

74~75쪽 개념 확인하기

1 (1) ⓐ, ⓒ, ⓔ (2) ⓑ **2** 예 수직인 채
3 태양의 남중 고도 **4** ⓐ 여름 ⓑ 겨울
5 ⑤

똑똑한 하루 퀴즈

6

겨	여	✿	✿
✿	울	름	자
계	공	전	전
✿	절	기	축

① 자전축 ② 공전 ③ 여름 ④ 계절

풀이

1 계절이 변하는 원인을 알아보는 실험에서 다르게 해야 할 조건은 지구의의 자전축 기울기입니다. 같게 해야 할 조건에는 지구의의 크기, 전등과 지구의 사이의 거리, 태양 고도 측정기를 붙이는 위치, 지구의의 종류 등이 있습니다.

2 지구의의 자전축이 공전 궤도면에 대하여 수직인 채 태양 주위를 공전한다면 태양의 남중 고도는 변화가 없습니다.

3 지구의 자전축이 기울어진 채 공전하면 태양의 남중 고도가 달라지고 계절이 변합니다.

4 ⓐ은 북반구에서 태양의 남중 고도가 높은 여름이고, ⓑ은 북반구에서 태양의 남중 고도가 낮은 겨울입니다. 남반구의 계절은 북반구의 계절과 반대입니다.

5 계절이 변하는 까닭은 지구의 자전축이 공전 궤도 면에 대해 기울어진 채 태양 주위를 공전하기 때문입니다.

(왜 틀렸을까?)
① 지구는 태양 주위를 공전합니다.
② 지구의 자전축은 기울어져 있습니다.
③ 지구의 자전축은 기울어진 채 태양 주위를 공전합니다.
④ 지구는 태양 주위를 공전합니다.

6 ① 지구는 자전축을 중심으로 자전하며, 자전축은 항상 같은 방향으로 기울어져 있습니다.
② 지구의 자전축이 수직인 채 공전하면 태양의 남중 고도는 변하지 않습니다.
③ 여름에 북반구에서는 태양의 남중 고도가 높습니다.
④ 지구의 자전축이 기울어진 채 태양 주위를 공전하기 때문에 계절이 변합니다.

5일 2주 마무리하기

78~81쪽 마무리하기 문제

1 ⑩ 수직 2 ⓒ 3 ㉠ 기온 ⓒ 그림자 길이
4 짧아, 높아 5 ② 6 ㉠ 7 ⑩ 태양의 남중 고도가 높은 여름에는 낮의 길이가 길고, 태양의 남중 고도가 낮은 겨울에는 낮의 길이가 짧다. 8 ⑤
9 ㉠ 10 > 11 (1) ○ (2) × (3) ×
12 (1) ⓒ (2) ㉠ 13 (1) ㉠ (2) ⓒ

(똑똑한 하루 퀴즈)

14

풀이

1 태양 고도를 측정할 때 실을 연결한 막대기를 지표 면에 수직으로 세웁니다.

2 막대기의 그림자 끝과 실이 이루는 각은 ⓒ입니다.

3 기온 그래프는 태양 고도 그래프와 모양이 비슷하고, 그림자 길이 그래프는 태양 고도 그래프와 모양이 다릅니다.

4 태양 고도가 높아지면 그림자 길이가 짧아지고, 기온은 높아집니다.

5 ㉠은 태양의 남중 고도가 가장 높은 여름, ⓒ은 봄, 가을, ㉢은 태양의 남중 고도가 가장 낮은 겨울입니다.

6 태양의 남중 고도가 가장 높은 ㉠은 여름, 태양의 남중 고도가 가장 낮은 ⓒ은 겨울입니다.

7 태양의 남중 고도가 높아질수록 낮의 길이가 길어집니다.

(인정 답안)
태양의 남중 고도와 낮의 길이를 비교할 때 계절이 아닌 월로 비교하여도 정답으로 인정합니다.

인정 답안의 예
태양의 남중 고도가 높은 6~7월에는 낮의 길이가 길고, 태양의 남중 고도가 낮은 12~1월에는 낮의 길이가 짧다. 등

8 태양의 남중 고도에 따른 기온 변화 실험에서 전등은 태양, 모래는 지표면, 전등과 모래가 이루는 각은 태양의 남중 고도를 의미합니다.

9 전등과 모래가 이루는 각이 클 때는 전등이 좁은 면적을 비추기 때문에 일정한 면적에 도달하는 에너지 양이 많습니다.

10 전등과 모래가 이루는 각이 클 때 모래의 온도가 더 많이 올라갑니다.

11 지표면에 도달하는 태양 에너지양이 많아지면 지표 면이 더 많이 데워져 기온이 높아집니다.

(왜 틀렸을까?)
(2) 지표면에 도달하는 태양 에너지양이 많아지면 기온은 높아집니다.
(3) 태양의 남중 고도가 높아지면 일정한 면적의 지표면에 도달하는 태양 에너지양이 많아집니다.

12 지구의 자전축이 기울어진 채 태양 주위를 공전 하면 지구의 위치에 따라 태양의 남중 고도가 달라집니다.

13 지구의 북반구에서 ㉠의 위치에서는 태양의 남중 고도가 높고, ㉡의 위치에서는 태양의 남중 고도가 낮습니다.

14 ❶은 남반구, ❷는 남중, ❸은 태양 고도, ❹는 자전축, ❺는 공전, ❻은 궤도입니다.

2주 | TEST + 특강

82~83쪽   누구나 100점 TEST

1 30   **2** 남중   **3** 태양 고도
4 (1) ㉡ (2) ㉣   **5** ③   **6** 태양의 남중 고도
7 ①   **8** 남중 고도   **9** ⑤   **10** ⑤

풀이

1 태양 고도는 그림자 끝과 막대기의 실이 이루는 각입니다.

2 태양이 정남쪽에 위치하면 태양이 남중했다고 합니다.

3 태양 고도가 높아지면 그림자 길이가 짧아지고 기온은 높아집니다.

4 태양의 남중 고도는 여름(㉡)에 가장 높고, 겨울 (㉣)에 가장 낮습니다.

5 낮의 길이는 6~7월에 가장 깁니다.

6 전등과 모래가 이루는 각은 태양의 남중 고도를 의미합니다.

7 ㉠이 ㉡보다 모래의 온도 변화가 더 큽니다.

8 계절에 따라 기온이 달라지는 까닭은 계절에 따라 태양의 남중 고도가 달라지기 때문입니다.

9 지구의 자전축이 공전 궤도면에 대해 기울어진 채 공전하면 계절이 변합니다.

10 우리나라는 ㉠일 때 여름, ㉡일 때 겨울입니다.

85쪽   생활 속 과학 융합

❶ ❶ 하지 ❷ 겨울 ❸ 여름 ❹ 동지

풀이

❶ 태양의 남중 고도가 가장 높은 계절은 여름이고, 가장 낮은 계절은 겨울입니다.

86~87쪽   사고 쑥쑥 창의

❷ (1) ㉡ (나) (2) ㉠ (가)
❸ ❶ 지구의의 자전축 기울기 ❷ 예 기울어진 ❸ 계절

풀이

❷ 태양의 남중 고도가 높아지면 일정한 면적의 지표면에 도달하는 태양 에너지양이 많아지고, 지표면이 많이 데워져 기온이 높아집니다.

❸ 지구의 자전축이 공전 궤도면에 대해 기울어진 채 태양 주위를 공전하기 때문에 계절이 변합니다.

88~89쪽   논리 탄탄 코딩

❹ 4
❺

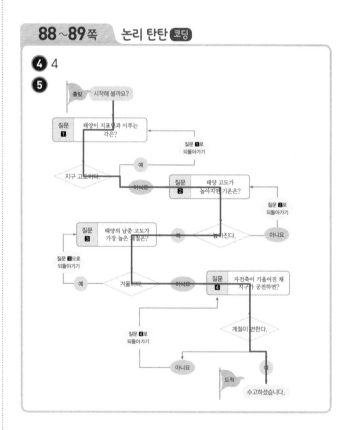

풀이

❹ 태양 고도가 높아지면 그림자 길이가 짧아지고, 기온은 높아집니다.

❺ 태양이 지표면과 이루는 각은 태양 고도입니다. 태양의 남중 고도가 가장 높은 계절은 여름입니다.

1일 물질이 탈 때 나타나는 현상

97쪽 개념 체크

1 윗 **2** 줄어듦 **3** 줄어듦

98~99쪽 개념 확인하기

1 ⑤ **2** 촛농 **3** (1) 움푹 팹니다 (2) 짧아집
니다 **4** > **5** (1) ㉠, ㉢ (2) ㉣
6 ①, ④, ⑤

똑똑한 하루 퀴즈

7

알	램	☀	초
코	프	촛	농
올	☀	물	석
☀	실	밥	유
열	심	지	☀

① 촛농 ② 열 ③ 심지 ④ 알코올

풀이

1 뜨거운 공기는 위로 이동하기 때문에 불꽃의 아랫
부분이나 옆 부분보다 윗부분이 더 뜨겁습니다.

2 고체였던 초는 불을 붙이면 액체인 촛농으로 변해
흘러내리다가 굳어 다시 고체가 됩니다.

3 초가 타면서 심지 주변은 움푹 패고, 시간이 지날
수록 초의 길이는 짧아집니다.

4 초에 불을 붙이기 전보다 촛불을 끈 후 초의 무게
가 줄어듭니다. 초에 불을 붙이면 초가 타면서 물
질이 줄어들기 때문입니다.

5 불꽃 주변은 밝아지고, 시간이 지날수록 알코올의
양이 줄어듭니다. 불꽃 주변에 손을 가까이 하면
따뜻해집니다.

6 물질이 탈 때는 빛과 열을 내면서 타고, 물질의 양
이 변하기도 합니다.

7 ① 초가 탈 때 초가 녹아서 촛농이 흘러내립니다.
② 뜨겁게 해 주는 것은 열입니다.

③ 초나 알코올램프 등에 불을 붙이기 위해 꼬아서
꽂은 실이나 헝겊을 심지라고 합니다.

④ 알코올은 알코올램프의 연료로, 색이 없고 증발
이 잘 되는 성질이 있으며 불에 타기 쉬운 액체
입니다.

2일 연소의 조건

103쪽 개념 체크

1 산소 **2** 머리 **3** 발화점

104~105쪽 개념 확인하기

1 ㉠ 작은 **2** (1) ㉡ (2) ㉠ **3** ②, ④
4 산소 **5** ②

집중 연습 문제

6 (3) ○ (4) ○ (6) ○

풀이

1 크기가 작은 아크릴 통 속에 있는 초가 더 빨리 꺼
집니다.

2 아크릴 통의 크기가 클수록 통 속에 있는 공기의
양이 많습니다.

3 초가 타기 전과 타고 난 후의 산소 비율은 타기 전
약 21 %에서 타고 난 후 약 19 %로 줄어들었습니다.
초가 타면서 산소를 사용하기 때문에 초가 타고
난 후 산소 비율이 줄어든 것입니다.

4 산소가 부족하면 초가 남아 있더라도 더 이상 타지
않습니다.

5 성냥의 머리 부분에 먼저 불이 붙고, 나무 부분에
나중에 불이 붙습니다.

6 연소의 조건 : 탈 물질, 산소, 발화점 이상의 온도

3일 연소 후 생기는 물질과 소화 방법

109쪽 개념 체크

1 탄소 **2** 줄어듦 **3** 소화

1 (1) ⓒ (2) ⓐ   **2** (1) 붉게 (2) 뿌옇게

3 ⑤   **4** ㉠   **5** ②

집중 연습 문제

6 (1) 연 (2) 소 (3) 연 (4) 소 (5) 연 (6) 소

풀이

1 푸른색 염화 코발트 종이로는 물을, 석회수로는 이산화 탄소가 생김을 확인할 수 있습니다.

2 푸른색 염화 코발트 종이는 물에 닿으면 붉게 변합니다. 석회수는 이산화 탄소와 만나면 뿌옇게 됩니다.

3 초가 연소하면 물, 이산화 탄소가 만들어집니다.

4 주변의 타기 쉬운 물질을 치우거나 가스레인지의 연료 조절 밸브를 잠가 가스를 차단하는 것은 탈 물질을 없애 불을 끄는 방법입니다.

5 촛불을 집기병으로 덮으면 산소의 양이 줄어들어 촛불이 꺼집니다. ①, ④의 소화 방법은 탈 물질 없애기, ③의 소화 방법은 발화점 미만으로 온도 낮추기입니다.

6 연소의 조건인 탈 물질, 산소, 발화점 이상의 온도 중 한 가지 이상의 조건을 없애면 불을 끌 수 있습니다.

4일 에너지와 생활

115쪽 개념 체크

1 에너지   **2** 열   **3** 전환

117쪽 그림으로 보는 개념

1 운동   **2** 전기   **3** 위치

1 에너지   **2** (1) ⓒ (2) ㉠ (3) ⓔ (4) ⓜ (5) ⓒ

3 ①, ②   **4** 예 화학   **5** ③   **6** ⓒ

똑똑한 하루 퀴즈

7

효	율	운	화
✦	동	✦	학
전	기	위	✦
환	✦	열	치
✦	에	너	지

❶ 에너지 ❷ 화학 ❸ 전기 ❹ 위치 ❺ 전환

풀이

1 기계는 전기나 기름 등에서, 식물은 광합성을 하여, 동물은 식물이나 다른 동물을 먹고 에너지를 얻습니다.

2 에너지 형태에는 열에너지, 빛에너지, 전기 에너지, 화학 에너지, 운동 에너지, 위치 에너지 등이 있습니다.

3 초가 탈 때에는 빛과 열이 발생합니다. 초가 가진 화학 에너지가 빛에너지와 열에너지 등으로 전환됩니다.

4 생물 등의 생명 활동에 필요하며, 물질이 가진 잠재적인 에너지는 화학 에너지입니다.

5 롤러코스터가 비탈길을 내려올 때는 위치 에너지가 운동 에너지로 전환됩니다.

6 발광 다이오드[LED]등은 다른 전등에 비해 열에너지로 전환되어 손실되는 에너지의 양이 가장 적으므로, 에너지 효율이 가장 높은 전등입니다.

7 ❶ 기계를 움직이거나 생물이 살아가는 데 에너지가 필요합니다.

❷ 생물의 생명 활동에 필요한 에너지는 화학 에너지입니다.

❸ 전기 기구를 작동하게 하는 에너지는 전기 에너지입니다.

❹ 높은 곳에 있는 물체가 가진 에너지는 위치 에너지입니다.

❺ 에너지의 형태가 바뀌는 것을 에너지 전환이라고 합니다.

122~125쪽 마무리하기 문제

1 ③   2 ⑤   3 산소   4 (1) 초 (2) 알코올

5 ㉠   6 ③   7 (1) ○   8 (1) 예 붉게 변한다.

(2) 예 초가 연소한 후 물이 생긴다. 초가 타고 나면 물이

생긴다. 등 9 ㉠ 석회수 ㉡ 이산화 탄소   10 ②

11 예 빛에너지, 열에너지, 화학 에너지 등   12 ④, ⑤

똑똑한 하루 퀴즈

13

풀이

1 초와 알코올이 탈 때 시간이 지날수록 초와 알코올
의 무게가 줄어듭니다.

2 물질이 탈 때는 빛과 열이 발생하고 물질의 양이
변하기도 합니다.

3 물질이 산소와 빠르게 반응하여 빛과 열을 내는 현
상을 연소라고 합니다.

4 연소할 때는 초나 알코올과 같은 탈 물질이 필요합
니다.

5 공기(산소)의 양에 따라 물질이 타는 시간을 알아
보는 실험이므로, 아크릴 통의 크기를 다르게 해야
합니다.

6 크기가 작은 아크릴 통 속 공기의 양이 적기 때문
에 촛불이 빨리 꺼집니다.

7 물질이 연소할 때 발화점 이상의 온도에 다다르면
불이 붙습니다.

8 푸른색 염화 코발트 종이는 물에 닿으면 붉게 변합
니다.

인정 답안
(1) 붉게 변한다라는 내용을 쓰면 정답으로 인정합니다.

(2) 초가 연소한 후 생기는 물질은 물임을 알 수 있다라는
내용을 쓰면 정답으로 인정합니다.

인정 답안의 예
(1) 붉은색, 빨간색으로 변한다. 등

(2) 초가 탄 후 생기는 물질이 물임을 확인할 수 있다. 초의
연소 생성물은 물이다. 등

9 석회수는 이산화 탄소와 만나면 뿌옇게 됩니다.

10 초의 길이를 늘여 주는 것은 오히려 탈 물질이 늘
어나는 것이므로 촛불을 끄는 방법이 아닙니다.

11 탈 물질은 화학 에너지를 가지고 있고, 물질이 연
소할 때 빛에너지와 열에너지가 발생합니다.

12 롤러코스터가 움직이는 동안 운동 에너지와 위치 에
너지 간에 반복적인 에너지 전환이 이루어집니다.

13 ①은 산소, ②는 연소, ③은 발화점, ④는 소화,
⑤는 염화 코발트입니다.

3주 | TEST + 특강

126~127쪽 누구나 100점 TEST

1 ②   2 ③   3 ㉡, ㉠   4 탈 물질,

산소, 발화점 이상의 온도   5 ③   6 (2) ○

7 (1) ㉠ (2) ㉡ (3) ㉢   8 예 알코올램프의 뚜껑을

닫는다.   9 ㉠ 예 계단 ㉡ 코와 입(또는 입과 코)

10 ⑤

풀이

1 물질이 탈 때 빛과 열이 발생하고, 물질의 양이 변
하기도 합니다. 불꽃의 아랫부분이나 옆 부분보다
윗부분이 더 뜨겁습니다.

2 공기의 양에 따라 초가 타는 시간을 비교해 보는
실험입니다.

3 성냥의 머리 부분이 발화점이 낮기 때문에 나무 부
분보다 먼저 불이 붙습니다.

4 연소의 조건 : 산소, 탈 물질, 발화점 이상의 온도

5 물은 푸른색 염화 코발트 종이로, 이산화 탄소는
석회수로 확인할 수 있습니다.

6 초가 연소한 후 물과 이산화 탄소가 생깁니다.

7 소화의 조건 : 탈 물질 없애기, 산소 공급 막기, 발
화점 미만으로 온도 낮추기

8 알코올램프의 뚜껑을 닫으면 산소 공급을 막아 불이 꺼집니다.

9 화재가 발생하면 승강기 대신 계단을 이용하고, 젖은 수건으로 코와 입을 막고 몸을 낮춰 이동합니다.

10 초의 화학 에너지는 빛에너지와 열에너지로 전환됩니다.

129쪽 생활 속 과학 융합

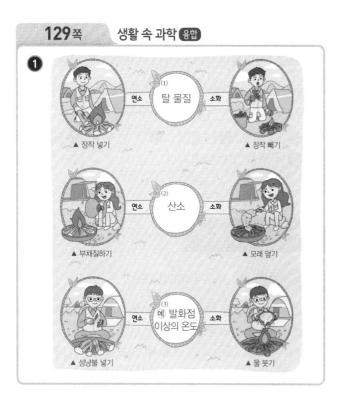

풀이

(1) 연소 – 탈 물질 제공 / 소화 – 탈 물질 제거

(2) 연소 – 산소 공급 / 소화 – 산소 공급 막기

(3) 연소 – 발화점 이상으로 온도 높이기 / 소화 – 발화점 미만으로 온도 낮추기

130~131쪽 사고 쑥쑥 창의

❷ (1) 연소 (2) 소화

❸

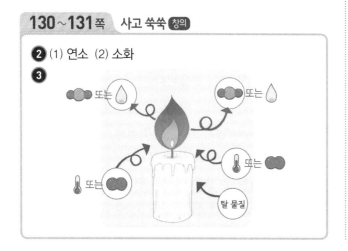

풀이

❷ (1)은 산소와 탈 물질을 공급하고 발화점 이상의 온도이므로 불을 붙이는 '연소'입니다. (2)는 산소와 탈 물질을 차단하고 발화점 미만의 온도이므로 불을 끄는 '소화'입니다.

❸ 초가 탈 때는 산소, 탈 물질, 발화점 이상의 온도가 필요합니다. 초의 연소 생성물은 물과 이산화 탄소입니다.

132~133쪽 논리 탄탄 코딩

❹ (1) 전기 (2) 빛

❺

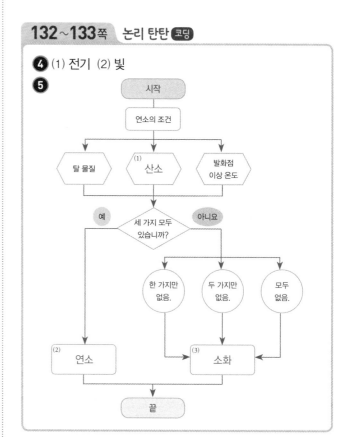

풀이

❹ 불이 켜진 가로등, 신호등, 반짝이는 전광판은 전기 에너지가 빛에너지로 에너지 전환이 일어나는 경우입니다.

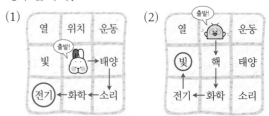

❺ 연소의 세 조건인 탈 물질, 산소, 발화점 이상의 온도가 모두 충족되어야 연소가 일어납니다. 소화는 연소의 조건 중 한 가지 이상을 없애야 합니다.

4주 우리 몸의 구조와 기능

1일 운동 기관 / 소화 기관

141쪽 개념 체크

1 운동   2 소화   3 수분

142~143쪽 개념 확인하기

1 ⑤   2 ㉠, ㉢   3 광수   4 ③

5 ④

집중 연습 문제

6 (1) ㉡ (2) ㉠   7 위

풀이

1 근육의 길이가 줄어들거나 늘어나면서 근육과 연결된 뼈가 움직입니다.

2 움직임에 관여하는 운동 기관에는 뼈와 근육이 있습니다.

3 우리가 생활하는 데 필요한 에너지와 영양소는 음식물에서 얻습니다.

4 소화에 직접 관여하는 소화 기관에는 입, 식도, 위, 작은창자, 큰창자, 항문 등이 있습니다.

5 ①은 입, ②는 식도, ③은 위, ④는 큰창자, ⑤는 항문입니다.

6 작은창자는 소화를 돕는 액제를 분비하여 음식물을 잘게 분해하고 영양소를 흡수하며, 큰창자는 음식물 찌꺼기의 수분을 흡수합니다.

7 우리 몸속에 들어간 음식물은 입, 식도, 위, 작은창자, 큰창자, 항문을 거쳐 소화되고 음식물 찌꺼기를 배출합니다.

2일 호흡 기관

147쪽 개념 체크

1 코   2 폐   3 산소

148~149쪽 개념 확인하기

1 ②   2 ㉢   3 ③   4 ㉡, ㉣

5 기관

똑똑한 하루 퀴즈

6

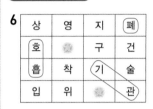

상	영	지	폐
호	※	구	건
흡	착	기	술
입	위	※	관

① 호흡 ② 폐 ③ 기관

풀이

1 숨을 들이마시고 내쉬는 활동을 '호흡'이라고 합니다.

2 기관지는 기관과 폐 사이를 이어 주는 관으로 나뭇가지처럼 여러 갈래로 갈라져 있습니다.

3 폐는 호흡 기관으로 가슴 부분에 좌우 한 쌍이 있습니다.

4 호흡 기관에는 코, 기관지, 기관, 폐 등이 있습니다. 뼈는 운동 기관이고, 식도, 항문, 큰창자는 소화 기관입니다.

5 숨을 내쉴 때 몸속의 공기는 폐 → 기관지 → 기관 → 코를 거쳐 몸 밖으로 나갑니다.

6 ① 코와 폐는 숨을 들이마시고 내쉬는 활동인 호흡에 관여하는 호흡 기관입니다.

② 기관지가 갈라져 있으면 폐포와 혈관이 만나는 면적이 넓어져서 공기가 전달되는 데 효과적입니다.

③ 숨을 들이마실 때 코로 들어온 공기는 기관, 기관지, 폐를 거쳐 우리 몸에 필요한 산소를 제공합니다.

3일 순환 기관 / 배설 기관

153쪽 개념 체크

1 혈액   2 혈관   3 배설

정답과 풀이

1 ④   2 산소   3 (1) ㉡ (2) ㉠
4 ③, ④   5 ㉠

집중 연습 문제

6 ⑤
7 ㉢ 혈액

풀이

1 ㉠은 혈관, ㉡은 심장입니다. 폐와 기관은 호흡 기관이며, 식도는 소화 기관이고, 쓸개는 소화를 도와주는 기관입니다.

2 소화로 흡수한 영양소와 호흡으로 얻은 산소는 혈액을 통해 온몸으로 이동합니다.

3 심장이 빨리 뛰면 혈액이 이동하는 빠르기가 빨라지고 혈액의 이동량이 많아지며, 심장이 느리게 뛰면 혈액이 이동하는 빠르기가 느려지고 혈액의 이동량이 적어집니다.

4 위와 작은창자는 소화 기관이고, 폐는 호흡 기관입니다.

5 ㉠은 콩팥, ㉡은 방광입니다. 콩팥은 혈액에 있는 노폐물을 걸러 내고, 방광은 콩팥에서 걸러 낸 노폐물을 모아 두었다가 몸 밖으로 내보냅니다.

6 ①은 콩팥, ②는 식도, ③은 폐, ④는 호흡 기관에 대한 설명입니다.

7 심장은 혈액의 이동에 관여하는 순환 기관으로, 펌프 작용으로 혈액을 온몸으로 순환시킵니다.

4일 감각 기관 / 운동할 때 몸에 나타나는 변화

159쪽 개념 체크

1 코   2 자극   3 빨라

1 ②   2 (1) ㉢ (2) ㉠ (3) ㉡   3 신경계
4 ②   5 ㉡

똑똑한 하루 퀴즈

6

노	면	☀	소
감	시	보	리
자	각	산	☀
☀	도	장	소

❶ 감각   ❷ 소리   ❸ 산소

풀이

1 위와 큰창자는 소화 기관이고, 폐와 기관은 호흡 기관이며, 혈관과 심장은 순환 기관입니다. 감각 기관에는 눈, 귀, 코, 혀, 피부가 있습니다.

2 귀로 소리를 들을 수 있고, 코로 냄새를 맡을 수 있으며, 눈으로 주변의 사물을 볼 수 있습니다.

3 감각 기관이 받아들인 자극은 온몸에 퍼져 있는 신경계를 통해 전달되고, 신경계는 전달된 자극을 해석하여 행동을 결정하고, 운동 기관에 명령을 내립니다.

4 순환 기관은 영양소와 산소를 온몸에 전달하고, 이산화 탄소와 노폐물을 각각 호흡 기관과 배설 기관으로 전달합니다. 배설 기관은 혈액에 있는 노폐물을 걸러 내어 오줌으로 배설하고, 호흡 기관은 우리 몸에 필요한 산소를 제공하고 이산화 탄소를 몸 밖으로 내보냅니다.

5 운동을 할 때 우리 몸은 에너지를 내고자 많은 산소가 필요하기 때문에 산소를 많이 공급하기 위해서 호흡이 빨라집니다.

6 ❶ 주변으로부터 전달된 자극을 느끼고 받아들이는 우리 몸의 눈, 귀, 코, 혀, 피부와 같은 기관을 감각 기관이라고 합니다.
❷ 감각 기관 중 귀로는 여러 가지 소리를 들을 수 있습니다.
❸ 호흡 기관은 우리 몸에 필요한 산소를 제공하므로, 호흡이 빨라지면 에너지를 내는 데 필요한 산소를 많이 공급할 수 있습니다.

1 ㉠	2 ④	3 ⑩ 입 → 식도 → 위 →	
작은창자 → 큰창자 → 항문	4 폐	5 ㉡	
6 ②	7 ⑤	8 심장	9 ㉡, ㉢, ㉠
10 ③	11 (1) ㉡ (2) ㉠	12 ㉡	

똑똑한 하루 퀴즈

13
			③④혈	액
①감				
각			관	
②기	관	지		
관			⑤산	
			⑥소	화

풀이

1 근육의 길이가 변하면서 근육과 연결된 뼈가 움직입니다.

2 우리 몸속 기관 중에서 움직임에 관여하는 뼈와 근육을 운동 기관이라고 합니다.

3 우리 몸속에 들어간 음식물은 입 → 식도 → 위 → 작은창자 → 큰창자 순으로 이동하면서 잘게 쪼개져서 영양소와 수분은 몸속으로 흡수되고, 나머지는 항문으로 배출됩니다.

「 인정 답안 」
입, 식도, 위, 작은창자, 큰창자, 항문을 순서대로 모두 나타내어야 정답으로 인정합니다.

인정 답안의 예
우리 몸속에 들어간 음식물은 입, 식도, 위, 작은창자, 큰창자를 지나 항문 등

4 폐는 가슴 부분에 위치하며 좌우 한 쌍으로 부풀어 있는 모양입니다.

5 폐는 몸 밖에서 들어온 산소를 받아들이고, 몸 안에서 생긴 이산화 탄소를 몸 밖으로 내보냅니다. ㉠은 콩팥, ㉡은 식도가 하는 일입니다.

6 숨을 들이마실 때 코로 들어온 공기는 기관 → 기관지 → 폐를 거쳐 이동합니다.

7 ⑤는 순환 기관 중 심장이 하는 일입니다.

8 심장은 펌프 작용으로 혈액을 온몸으로 순환시킵니다.

9 콩팥에서 노폐물이 걸러진 혈액은 다시 혈관을 통해 순환하고, 걸러진 노폐물은 오줌이 되어 방광에 저장되었다가 관을 통해 몸 밖으로 나갑니다.

10 눈으로는 주변의 사물을 볼 수 있고, 코로는 냄새를 맡을 수 있습니다. 귀로는 소리를 들을 수 있고, 피부로는 온도와 촉감을 느낄 수 있습니다.

11 시끄러운 소리를 듣는 것은 자극이고, 귀를 막는 것은 반응입니다.

12 운동 기관은 영양소와 산소를 이용하여 몸을 움직이고, 배설 기관은 혈액에 있는 노폐물을 걸러 내어 오줌으로 배설하며, 감각 기관은 주변의 자극을 받아들입니다.

13 ❶ 주변으로부터 전달된 자극을 느끼고 받아들이는 기관은 감각 기관입니다.

❷ 기관지는 기관과 폐 사이를 이어 주는 관으로 공기가 이동하는 통로입니다.

❸ 심장은 펌프 작용으로 혈액을 온몸으로 순환시킵니다.

❹ 혈관은 몸 전체에 퍼져 있고 혈액이 이동하는 통로 역할을 합니다.

❺ 폐는 몸 밖에서 들어온 산소를 받아들이고, 몸 안에서 생긴 이산화 탄소를 몸 밖으로 내보냅니다.

❻ 큰창자와 작은창자는 소화에 직접 관여하는 소화 기관입니다.

4주 | TEST + 특강

1 (1) ○ (2) ○ (3) ○ (4) ×		2 ③
3 ⑩ 영양소	4 ③	5 (1) ㉡ (2) ㉠
6 혈액	7 ⑤	8 ㉡	9 ④
10 (1) ㉡ (2) ㉢ (3) ㉠		

풀이

1 뼈만 있으면 몸을 움직일 수 없고 근육이 뼈에 연결되어 있어 근육의 길이가 줄어들거나 늘어나면서 몸을 움직이게 합니다.

2 입, 식도, 위, 큰창자는 소화에 직접 관여하는 소화 기관이고, 간은 소화를 도와주는 기관입니다.

3 작은창자는 음식물에 들어 있는 대부분의 영양소를 흡수하고, 남은 찌꺼기는 큰창자로 보냅니다.

4 ③은 기관과 폐 사이를 이어 주는 기관지로, 공기가 이동하는 통로입니다.

5 숨을 들이마실 때 공기는 코 → 기관 → 기관지 → 폐로 이동하고, 숨을 내쉴 때 공기는 폐 → 기관지 → 기관 → 코로 이동합니다.

6 혈액의 이동에 관여하는 심장과 혈관을 순환 기관이라고 합니다.

7 콩팥과 방광은 혈액에 있는 노폐물을 몸 밖으로 내보내는 배설에 관여하는 배설 기관입니다.

8 ㉠은 혀, ㉢은 피부와 관련된 행동입니다.

9 감각 기관이 받아들인 자극은 온몸에 퍼져 있는 신경계를 통해 전달됩니다.

10 몸을 움직일 때 각 기관은 서로 영향을 주고받으며 상호 작용을 합니다.

171쪽 생활 속 과학 융합

❶ 냥이

풀이

❶ 성장판은 뼈가 자라는 곳이며 성장기가 지나면 성장판은 닫힙니다.

172~173쪽 사고 쑥쑥 창의

❸ ㉢

풀이

❷ 음식물은 입 → 식도 → 위 → 작은창자 → 큰창자 → 항문을 거쳐 소화되고 음식물 찌꺼기를 배출합니다.

❸ 배설 기관 중 콩팥은 혈액에 있는 노폐물을 걸러 내어 깨끗하게 하는 거름 장치 역할을 합니다.

174~175쪽 논리 탄탄 코딩

❹ 우수

❺ 순환 기관에 ○표

풀이

❹ 숨을 내쉴 때 몸속의 공기는 폐 → 기관지 → 기관 → 코를 거쳐 몸 밖으로 나갑니다.

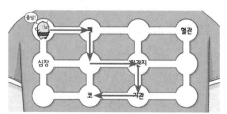

❺ 심장은 혈액의 이동에 관여하는 순환 기관입니다.

정답은
이안에
있어!

기초 학습능력 강화 프로그램
매일 조금씩 공부력 UP!

하루 독해 　　하루 어휘 　　하루 글쓰기 　　하루 VOCA

하루 수학 　　하루 계산 　　하루 도형 　　하루 사고력

하루 사회 　　하루 과학

과목	교재 구성	과목	교재 구성
하루 수학	1~6학년 1·2학기 12권	하루 사고력	1~6학년 A·B단계 12권
하루 VOCA	3~6학년 A·B단계 8권	하루 글쓰기	예비초~6학년 A·B단계 14권
하루 사회	3~6학년 1·2학기 8권	하루 한자	1~6학년 A·B단계 12권
하루 과학	3~6학년 1·2학기 8권	하루 어휘	1~6단계 6권
하루 도형	1~6단계 6권	하루 독해	예비초~6학년 A·B단계 12권
하루 계산	1~6학년 A·B단계 12권		

※ 각 교재별 출간 시기는 조금씩 다르며, 일부 교재는 순차적으로 출시될 예정입니다.

배움으로 행복한 내일을 꿈꾸는
천재교육 커뮤니티 안내 . . .

교재 안내부터 구매까지 한 번에!
천재교육 홈페이지

천재교육 홈페이지에서는 자사가 발행하는 참고서,
교과서에 대한 소개는 물론 도서 구매도 할 수 있습니다.
회원에게 지급되는 별을 모아 다양한 상품 응모에도
도전해 보세요.

구독, 좋아요는 필수! 핵유용 정보 가득한
천재교육 유튜브 <천재TV>

신간에 대한 자세한 정보가 궁금하세요?
참고서를 어떻게 활용해야 할지 고민인가요?
공부 외 다양한 고민을 해결해 줄 채널이 필요한가요?
학생들에게 꼭 필요한 콘텐츠로 가득한 천재TV로 놀러 오세요!

다양한 교육 꿀팁에 깜짝 이벤트는 덤!
천재교육 인스타그램

천재교육의 새롭고 중요한 소식을 가장 먼저 접하고 싶다면?
천재교육 인스타그램 팔로우가 필수!
누구보다 빠르고 재미있게 천재교육의 소식을 전달합니다.
깜짝 이벤트도 수시로 진행되니 놓치지 마세요!